COLLECTION SÉRIE NOIRE
Créée par Marcel Duhamel

À l'occasion de ses cinquante ans,
la Série Noire a le plaisir de mettre à la disposition
de ses nombreux admirateurs les titres suivants
qui ont marqué sa croissance :

Parutions du mois d'avril

JEAN-PATRICK MANCHETTE

Le petit bleu de la côte Ouest

(Trois hommes à abattre)

GALLIMARD

1

Et il arrivait parfois ce qui arrive à présent :
Georges Gerfaut est en train de rouler sur le
boulevard périphérique extérieur. Il y est entré
porte d'Ivry. Il est deux heures et demie ou
peut-être trois heures un quart du matin. Une
section du périphérique intérieur est fermée pour
nettoyage et sur le reste du périphérique intérieur
la circulation est quasi nulle. Sur le périphérique
extérieur, il y a peut-être deux ou trois ou au
maximum quatre véhicules par kilomètre. Quel-
ques-uns sont des camions dont plusieurs sont
extrêmement lents. Les autres véhicules sont des
voitures particulières qui roulent toutes à grande
vitesse, bien au-delà de la limite légale. Plusieurs
conducteurs sont ivres. C'est le cas de Georges
Gerfaut. Il a bu cinq verres de bourbon 4 Roses.
D'autre part il a absorbé, voici environ trois
heures de temps, deux comprimés d'un barbituri-
que puissant. L'ensemble n'a pas provoqué chez
lui le sommeil, mais une euphorie tendue qui
menace à chaque instant de se changer en colère

7

ou bien en une espèce de mélancolie vaguement tchékhovienne et principalement amère qui n'est pas un sentiment très valeureux ni intéressant. Georges Gerfaut roule à 145 km/h.

Georges Gerfaut est un homme de moins de quarante ans. Sa voiture est une Mercedes gris acier. Le cuir des sièges est acajou, et de même l'ensemble des décorations intérieures de l'automobile. L'intérieur de Georges Gerfaut est sombre et confus, on y distingue vaguement des idées de gauche. Au tableau de bord de la voiture, au-dessus des cadrans, se voit une petite plaque métallique mate où sont gravés le nom de Georges, son adresse, son groupe sanguin et une représentation merdeuse de saint Christophe. Par le truchement de deux diffuseurs – un sous le tableau de bord, un sur la plage arrière – un lecteur de cassettes diffuse à bas niveau du jazz de style *West-Coast* : du Gerry Mulligan, du Jimmy Giuffre, du Bud Shank, du Chico Hamilton. Je sais par exemple qu'à un moment, ce qui est diffusé est *Truckin'*, de Rube Bloom et Ted Kœlher, par le quintette de Bob Brookmeyer.

La raison pour laquelle Georges file ainsi sur le périphérique avec des réflexes diminués et en écoutant cette musique-là, il faut la chercher surtout dans la place de Georges dans les rapports de production. Le fait que Georges a tué au moins deux hommes au cours de l'année n'entre pas en ligne de compte. Ce qui arrive à présent arrivait parfois auparavant.

2

Alonso Emerich y Emerich était aussi quelqu'un qui a tué des hommes, en beaucoup plus grand nombre que Georges Gerfaut. Il n'y a pas de commune mesure entre Georges et Alonso. Alonso était né dans les années vingt en république dominicaine. Le redoublement de son patronyme germanique nous indique, comme pour son ami et proche compagnon d'armes le général Elias Wessin y Wessin, que sa famille appartenait à l'élite blanche de l'île et entendait le marquer par ce redoublement, entendait signaler la pureté de son sang, indemne de tout croisement avec des races inférieures, indienne, juive, nègre ou autre.

Dans les derniers temps de sa vie, Alonso était un quinquagénaire au teint brun, au corps dodu, aux tempes teintes, qui habitait une grosse ferme dans une très vaste propriété, à Vilneuil qui est un hameau situé à trente kilomètres de Magny-en-Vexin en France. Dans les derniers temps de sa vie, Alonso se faisait appeler Taylor. Le courrier qu'il recevait, qui était très peu abondant, était adressé à Monsieur Taylor, ou parfois au Colonel Taylor. Auprès des fournisseurs et des voisins, il passait pour un nord-américain ou peut-être un britannique qui avait longtemps vécu aux colonies où il avait fait fortune par le commerce.

En fait, Alonso était très riche mais menait une existence misérable. Il vivait absolument seul. Il avait peur. Personne ne travaillait la terre de sa vaste propriété, et il n'y avait pas de domestiques dans la demeure, parce qu'Alonso ne voulait laisser entrer personne. Les seules personnes qu'il laissait entrer, durant la brève période qu'il a passée ici et qui constitue les derniers temps de sa vie, c'étaient deux types au vocabulaire très limité et précis, en complet sombre, qui circulaient dans une Lancia Beta Berline 1800 écarlate, ce qui n'est pas discret et ne leur ressemble pas. L'un des deux types était plus petit et plus jeune que l'autre, avec des cheveux noirs ondulés et des yeux d'un très joli bleu. Il plaisait aux femmes. Au bout d'un moment, elles découvraient que la seule chose qui l'intéressait chez les femmes, c'était qu'elles le battent. Lui, il ne les battait pas, et il ne voulait absolument pas les pénétrer non plus. Alors les femmes rompaient avec lui, sauf les perverses sadiques. Mais, les perverses sadiques, il les chassait dès qu'il sentait qu'elles prenaient plaisir à le battre. Il disait qu'elles le dégoûtaient.

L'autre type était un quadragénaire au front dégarni, un peu prognathe, avec de grandes dents et des mèches de cheveux secs d'un blanc livide. Ce type-ci avait une grande cicatrice à la gorge, en travers, en arc de cercle, très impressionnante. Il avait pris l'habitude de rabattre son menton contre son cou pour cacher cette cicatrice. Il était grand et dégingandé, et cette façon de tenir la tête lui donnait un maintien bizarre. Ces deux types aussi ont tué un tas de gens, mais il n'y a pas de commune mesure entre eux et Georges Gerfaut, et ils ne ressemblaient pas non plus à Alonso. C'était leur second métier de tuer des gens. Auparavant, le plus jeune avait travaillé dans l'hôtellerie comme serveur, puis réceptionniste trilingue. Et l'autre avait été soldat de fortune. Georges Gerfaut est cadre commercial. Son métier est de vendre à des particuliers et des collectivités, en différents endroits de France et d'Europe, les coûteux matériels électriques que fabrique sa boîte, une filiale du groupe I.T.T., et dont il connaît le fonctionnement car il est ingénieur. Et le métier d'Alonso était la guerre. Il était officier de l'armée dominicaine. Il faisait partie du S.I.M., le service d'investigation militaire. Les meilleures années de sa vie, ce furent les années 55-60, qu'il passa à la base aérienne de San Isidro. Il n'y faisait pas la guerre. Le seul Etat à quoi la république dominicaine pourrait commodément faire la guerre, c'est la république d'Haïti, parce qu'elle se trouve sur la même île que la république dominicaine. Tous les autres pays sont séparés de la république dominicaine au moins par une grande étendue d'eau. Mais il n'y avait pas non plus de guerre avec Haïti. Alonso s'en trouvait bien. A la base aérienne de San Isidro, de concert avec son collègue et ami Elias Wessin y Wessin (commandant de la base et promis à un destin un peu historique quoique très médiocre) il envoyait les avions de la force aérienne dominicaine jusqu'à Porto-Rico, d'où les avions rapportaient des alcools et d'autres denrées sans payer de droits de douane. Alonso et Elias vivaient comme des coqs en pâte. Et ils étaient intouchables. Car s'il n'y avait pas la guerre étrangère à Saint-Domingue comme dans beaucoup d'endroits, il y avait comme partout la guerre sociale, et la fonction principale de l'armée dominicaine était comme partout de gagner la guerre sociale chaque fois que le besoin s'en faisait sentir. Les tâches de renseignement du S.I.M., dans cette optique, étaient essentielles. On amenait régulièrement à San Isidro des personnes soupçonnées d'intelligence avec l'ennemi de classe, et le travail du S.I.M., sous la direction d'Alonso, était de les faire parler en les battant, en les violant, en les incisant, en les électrocutant, en les castrant, en les noyant dans des locaux ingénieusement conçus et en leur coupant la tête.

Le 30 mai 1961, Trujillo le Bienfaiteur se fit cribler de balles sur une route par un commando dont on rattrapa ultérieurement les membres et certains complices. Pour Alonso et Elias, les beaux jours étaient finis, ou presque. Les fils du Bienfaiteur se maintinrent 180 jours, et après eux, sous la présidence de Balaguer, Alonso et Elias eurent encore le loisir de préparer les élections de 1962 en massacrant les péquenots de Palma Sola et en liquidant le général loyaliste Rodriguez Reyes. Et après l'élection du petit démocrate Juan Bosch, Elias le renversa pour mettre à sa place Donald Reid Cabral, représentant à Saint-Domingue la C.I.A. et les automobiles Austin. Et moins de deux heures plus tard, Elias vit bien qu'il y avait une révolution derrière l'ex-flic démocrate Caamano, et il s'en donna à cœur joie avec ses tanks, ses *Mustang* et ses *Meteor*, surtout contre les faubourgs nord de la ville de Saint-Domingue, parce qu'effectivement c'est là qu'était le plus gros danger, les milices ouvrières et autres cochons pillant, *horresco referens*, la grande fabrique de bouteilles Pepsi-Cola près du cimetière, pour faire des cocktails Molotov. Mais les Américains, qui avaient comme Elias aperçu le vrai danger (derrière les proclamations modérées et pour ainsi dire kennedyistes de Caamano), et qui conséquemment avaient apporté à Elias un soutien absolument déterminant en logistique, armes, munitions, hélicoptères, porte-avions, *marines*, pont aérien (1 539 atterrissages) et cochonnerie de merde de corridor « neutre » – les Américains, après la victoire, grugeront Elias et l'exileront un moment à Miami. C'est déloyal.

Mais quant à Alonso, il n'était plus là depuis 1962. Il n'avait pas comme Elias le goût du pouvoir, seulement celui du confort. Il avait supervisé le départ de la famille du Bienfaiteur, y compris les bagages (le cadavre, les archives nationales, l'extraordinaire quantité de pognon). Cela lui avait donné des idées. A l'instant où les élections de 62 portaient Juan Bosch au pouvoir, Alonso s'envola vers l'exil, où il avait préalablement envoyé de grandes quantités de blé.

Peut-être son intelligence se dégrada-t-elle dans les années qui suivirent, et qui furent des années d'errance de plus en plus précipitée. Ou peut-être Alonso était-il dès l'origine un demi-crétin. Souvenons-nous qu'il n'était parvenu, dans son moment de puissance maximum, qu'à une situation de policier militaire supérieur. On s'étonnera moins de le voir, dans les dernières années de sa vie, terrorisé et ne laissant entrer chez lui personne, ni cultivateur, ni serviteur, de peur qu'il pût s'agir d'un agent de la C.I.A., ou du gouvernement dominicain, ou d'une quelconque organisation de révolutionnaires dominicains exilés. Au vrai, Alonso vieillissait. Lorsqu'il vint s'installer en France à peu de distance de Magny-en-Vexin, il était brisé. Suffisamment en tout cas pour décider de ne plus bouger. Souvenons-nous d'ailleurs qu'il s'agit d'un homme qui, comme la veuve d'un condamné refusait de croire à la mort de son mari, lui avait fait envoyer par colis postal la tête du mort, avec quelque chose entre les dents. Et convenons que si ses craintes n'étaient pas raisonnables, leur racine l'était.

Il avait même interdit au facteur d'entrer. Le préposé déposait le rare courrier dans une boîte au bord de la route, à la grille de la propriété. Des fois qu'il aurait voulu passer outre, et à toutes autres fins utiles, Alonso entretenait un chien de combat, une femelle bullmastiff.

Ainsi les terres autour de la demeure n'étaient pas travaillées et ne produisaient rien, et l'intérieur de la demeure allait à l'abandon, faute de personnel. Les paysans alentour grognaient de voir cette terre improductive. Ils parlèrent plusieurs fois de manifester à ce sujet. Ils auraient sûrement fini par se décider. La mort d'Alonso a résolu la question.

Auparavant, dans les derniers temps de sa vie, Alonso cessait vers cinq ou six heures du matin d'essayer de dormir. Il quittait son lit froissé et sa chambre à l'étage. Dans la grande cuisine, il se confectionnait un breakfast à l'anglaise, composé d'un jus de fruit, d'une assiettée de céréales au lait, et d'un plat chaud, accompagné de thé fort et parachevé de toasts qu'il fendait en deux, triangulairement, avant de les recouvrir d'une couche mince de beurre et d'une pellicule de miel ou de marmelade d'orange.

Après ce petit déjeuner, Alonso revêtait un survêtement et courait longuement en petites foulées à travers sa propriété, sur la terre envahie de mauvaises herbes, en compagnie de la chienne bullmastiff nommée Elizabeth. Puis il regagnait sa demeure et n'en bougeait plus de la journée, sauf pour répondre au coup de sonnette des fournisseurs. Alors il observait la grille à travers une fenêtre du rez-de-chaussée, avec des jumelles très puissantes. Satisfait, il sortait de la maison et gagnait la grille, armé d'un Colt Officer's Target calibre .38 long. Il prenait livraison des denrées qu'on lui avait apportées. Il ne tolérait pas que le livreur pénétrât dans la propriété et portait lui-même les denrées jusqu'à la maison. Il s'agissait parfois de denrées lourdes, par exemple une caisse de whisky et, tandis qu'il portait la caisse jusqu'à la maison, Alonso transpirait profusément et il avait des tremblements incontrôlés dans les mollets et aussi au coin de la bouche.

Dans le salon de la demeure, il y avait une chaîne haute fidélité ouest-allemande de marque *Sharp*. Alonso l'époussetait soigneusement, alors que le reste des meubles et équipements de la demeure n'étaient presque jamais nettoyés et se recouvraient irrémédiablement d'une couche de crasse grasse. De même Alonso époussetait les enceintes quadriphoniques qui se trouvaient un peu partout dans la maison de telle sorte que la musique diffusée par la chaîne pouvait être entendue partout, même dans les deux latrines et les deux salles de bains. Les goûts musicaux d'Alonso étaient très différents de ceux de Georges Gerfaut. La discothèque d'Alonso peut être divisée en trois secteurs. D'abord de la musique classique, du Bach, du Mozart, du Beethoven. Puis des variétés américaines sirupeuses, du Tony Bennett, du Billy May. Ces disques, Alonso ne les écoutait jamais. Ce qu'il écoutait sans arrêt à partir du moment où il avait terminé sa promenade avec Elizabeth, c'était du Tchaïkovsky, du Mendelssohn, du Liszt...

En même temps qu'il écoutait ces musiques, Alonso était assis dans son bureau au rez-de-chaussée, avec les terres envahies de mauvaises

16

herbes qui se déployaient derrière les fenêtres toujours fermées, et avec le Colt Officer's Target posé sur le coin de sa table de travail, et il rédigeait ses Mémoires avec un stylo Parker sur des feuilles de papier pelure. Il écrivait *très* lentement. Souvent il n'écrivait même pas une page entière en dix ou quinze heures de travail.

Il ne déjeunait pas. Les soirs, vers 18 h 30, il dînait de conserves et de fruits dans la cuisine. Ensuite il mettait la vaisselle sale dans une machine à laver la vaisselle, où elle rejoignait la vaisselle du breakfast. Alonso continuait à travailler plusieurs heures, puis il arrêtait la musique, il mettait en marche la machine à laver la vaisselle, et il montait à l'étage avec un livre et se couchait dans son lit défait et froissé. Il attendait que le sommeil vienne et le sommeil ne venait pas. Alonso entendait la machine à laver la vaisselle, en bas, passer par les différentes phases de son programme, avec des pauses et des déclics. Il lisait indifféremment en anglais, en espagnol et en français, principalement des Mémoires écrits par des chefs militaires ou des hommes d'Etat comme Liddell Hart, Winston Churchill, De Gaulle, ou des romans militaires, surtout du C.S. Forester. Il avait aussi des numéros de la revue américaine salace *Playboy*. De temps à autre chaque soir il se masturbait sans grand succès. A plusieurs reprises, ainsi, les soirs, il se relevait et errant dans la maison, son livre à la main, son médius marquant la page, et parfois semblablement sa verge lasse

17

dépassant de sa braguette de pyjama, et il vérifiait que toutes les fenêtres étaient bien fermées. Elles l'étaient toujours. Et il donnait un supplément de viande à la femelle bullmastiff Elizabeth. Elizabeh, Georges Gerfaut l'a tuée aussi.

3

Dans sa Mercedes, Georges Gerfaut roulait sur la route nationale 19, il venait de passer Vendeuvre et se dirigeait vers Troyes, en pleine nuit, les deux diffuseurs diffusant du John Lewis, du Gerry Mulligan et du Shorty Rogers. A gauche et à droite, les ténèbres étaient comme une muraille et elles défilaient à 130 kilomètres/heure. C'est alors que la DS doubla.

Elle s'était annoncée à peine, un coup de phares au dernier instant et aussitôt elle sauta la Mercedes dans un virage masqué, tangua un peu en se rabattant sec et disparut dans la courbe suivante en moins de temps qu'il n'en faut à Gerfaut pour murmurer ah le con.

Dix minutes plus tard il la revit. Entre-temps il ne s'était rien passé sauf que Gerfaut avait doublé une vieille camionnette Peugeot à l'éclairage insuffisant et s'était lui-même fait doubler par un petit bolide écarlate probablement italien. Puis rien. Puis là maintenant, soudain, ses phares accrochaient quelque chose au bord de l'obscurité. En même temps Gerfaut vit des feux arrière immobiles sur la route; il leva le pied; les feux arrière se mirent en mouvement et furent littéralement aspirés par la nuit (mais peut-être n'étaient-ils pas du tout immobiles initialement; illusion d'optique peut-être). La DS en tout cas était immobile et hors de la chaussée, une aile dans le fossé, l'autre toute pliée et boursouflée contre le tronc d'un arbre, une portière arrachée, projetée dix ou douze mètres plus loin, reposant moitié sur la chaussée, moitié sur l'herbe de l'accotement, vitre pulvérisée – Gerfaut vit tout ça d'un coup tandis que la Mercedes, sur son erre, longeait l'épave, la dépassait, dépassait la portière arrachée, le compteur de vitesse de la Mercedes indiquant encore 80 et Gerfaut fut tenté d'accélérer derechef; ce qui le retint, davantage que le sens des convenances ou un impératif catégorique, c'est l'idée que les gens de la DS sont sans doute là dans le noir et peut-être relèvent ton numéro, non-assistance à personne en danger, Gerfaut freina, pas brusquement, avec un certain manque de conviction, il s'immobilisa quatre-vingts ou cent mètres plus loin.

Là-bas des feux arrière (le bolide italien? une Lancia Beta Berline 1800?) achevaient de disparaître dans la nuit. Gerfaut regarda anxieusement autour de lui, ne vit derrière soi que l'obscurité. La DS s'y était engloutie aussi. Tenaillé encore par l'envie de poursuivre sa route l'homme grogna entre ses dents tandis qu'il passait en marche arrière et revenait vers le lieu de l'accident en zigzaguant un peu.

Il se rangea sur l'accotement, entre deux arbres, à côté de la portière arrachée. Le lecteur de cassettes diffusait *Two Degrees East, Three Degrees West*. Gerfaut arrêta le lecteur de cassettes. Peut-être allait-il découvrir des cadavres hideusement mutilés, une fillette aux nattes gluantes de sang, ou bien des blessés retenant leurs tripes à deux mains, on ne peut pas décemment faire ça en musique. Il descendit de la Mercedes avec sa torche électrique étanche qu'il braqua du côté de la DS aussitôt. A son soulagement il ne vit qu'un homme et il était debout. C'était un homme petit, des cheveux blonds frisottés, un début de calvitie, le nez pointu, des lunettes cerclées de plastique. Le verre droit était nettement fendu. L'homme portait un caban et un pantalon de velours marron à grosses côtes. Il regardait Gerfaut avec de grands yeux apeurés. Il était appuyé au capot de la DS, du côté droit, et il haletait.

— Holà! fit Gerfaut. Ça va? Vous n'avez rien? Ça va?

L'homme bougea vaguement, hocha peut-être la tête, faillit tomber. Gerfaut s'approcha avec inquiétude. Son œil accrocha par hasard la zone humide et sombre qui se dessinait, très discrète, au flanc de l'homme sur le drap sombre et pelucheux du caban.

— Vous êtes blessé au flanc, dit Gerfaut (et son

21

esprit évoquait pour soi-même l'odeur du sang et son goût et Gerfaut se dit nom de dieu je vais gerber.)

– Hôpital, dit l'homme et ses lèvres remuèrent encore mais il n'arriva pas à ajouter quoi que ce fût.

C'était au côté gauche qu'il saignait. Gerfaut lui saisit le bras droit, se le passa autour du cou et entreprit de soutenir le blessé et de l'entraîner vers la Mercedes. Une voiture de marque non identifiée passa à grande vitesse, dans un miaulement.

– Vous pouvez marcher?

Le blessé ne répondit pas et marcha. Il serrait les dents. Des gouttes de sueur perlaient sur son front dégarni, et sur sa lèvre supérieure, où poussaient des poils courts.

– S'i r'viennent, marmonna-t-il...

– Hein? Hein?

Mais l'homme ne voulait ou ne pouvait plus parler. Ils atteignaient la Mercedes. Gerfaut aida le blessé à s'appuyer au véhicule, ouvrit la portière arrière droite. L'homme s'accrocha au dossier du siège avant et se propulsa sur les sièges arrière, sur le dos.

– Ah, merde, merde, je saigne, je saigne, dit-il avec tristesse et rancœur. (Il avait l'accent parigot.)

– Ça va aller. Ça va aller.

Gerfaut poussa les jambes du blessé à l'intérieur, claqua la portière arrière, monta vivement à l'avant. Il pensait que le sang allait souiller le cuir des sièges; ou bien il ne pensait rien. La Mercedes s'ébranla. Pendant le trajet Gerfaut ne dit pas grand-chose et le blessé ne dit rien.

Ils se trouvèrent à Troyes en moins de dix minutes. Il était 0 h 20. Il n'y avait pas un flic en vue. Gerfaut s'adressa à un passant tardif. On lui indiqua le chemin d'un hôpital. Le passant était ivre, les indications furent confuses, Gerfaut s'égara à demi, perdit du temps. A l'arrière, avec bien de la peine mais sans gémir, le blessé avait ôté son caban. Dessous, il portait un chandail noir ras du cou. Il avait plié son caban en quatre et il le pressait contre son flanc pour ralentir l'hémorragie. Au même instant il perdit connaissance et ils arrivèrent à l'hôpital. Gerfaut alla se ranger avec brusquerie devant le service des urgences. Il se précipita hors de l'auto et jusqu'à l'entrée d'un hall mal éclairé.

— Un brancard! Un brancard! Vite! hurla-t-il et il revint vers la voiture et ouvrit les portières arrière.

Personne ne sortait de l'hôpital. A droite du hall vitré, Gerfaut voyait une grande pièce vitrée avec un comptoir de réception et deux filles en blouse derrière le comptoir et quatre autres personnes dans la pièce, un Algérien et un couple âgé assis sur des chaises en tube métallique et en plastique, et un type de trente ans au teint blanchâtre et aux joues molles, en complet, sans cravate, adossé au mur, se rongeant les ongles.

— Mais alors, nom de dieu? cria Gerfaut.

23

Deux infirmiers arrivèrent par le hall avec une civière à roulettes.

– On arrive, observèrent-ils.

Avec efficacité ils se saisirent du blessé, l'étendirent sur la civière et repartirent dare-dare à travers le hall et au-delà. Avant qu'ils disparaissent, l'un d'eux se retourna vers Gerfaut qui suivait le mouvement avec hésitation.

– Faut l'inscrire, déclara l'infirmier.

Gerfaut avait alors pénétré de quatre ou cinq mètres dans le hall, et il se trouvait près de la porte latérale ouverte sur la pièce de réception. Le couple âgé et l'Algérien n'avaient pas bougé. Le type de trente ans sans cravate s'était approché du comptoir de réception. Il avait une fiche devant lui et un crayon à bille à la main et il parlait avec volubilité à une fille en blouse.

– Je ne la connais pas, disait-il. Je l'ai trouvée sur mon paillasson, j'ai bien vu qu'elle a avalé des trucs, je pouvais pas la laisser comme ça là, je l'ai amenée dans ma voiture mais je ne sais pas qui c'est, je ne la connais pas, je ne sais même pas son nom, moi, c'est pas parce qu'elle est venue se suicider sur mon paillasson, hein?

De la sueur coulait sur son front blanc.

Gerfaut sortit une Gitane-filtre, revient sur ses pas lentement, comme si de rien n'était, son œil vaguement braqué vers le sol. Il se donnait la contenance du mec préoccupé qui sort distraitement, juste histoire de fumer une tige. Ce n'était pas la peine : personne ne faisait attention à lui. Quand il fut dehors, il remonta dans sa voiture et

24

s'en alla vivement. Au bout d'un moment, un interne et un gendarme tête nue surgirent avec agitation dans la pièce de réception et demandèrent à grand bruit où était la personne qui avait amené le blessé par balles.

4

– C'est idiot, c'est une histoire de fou, dit Béa.
Béa : Béatrice Gerfaut, née Changarnier, des
origines catholiques et protestantes, bordelaises et
alsaciennes, bourgeoises et bourgeoises; exerçant
la profession d'attachée de presse *free lance* après
avoir enseigné les techniques audio-visuelles à
l'université de Vincennes et tenu une épicerie
diététique à Sèvres; une femme-jument superbe et
horrible, la charpente élégante et grande, les yeux
grands et verts, de longs cheveux noirs épais et
sains, de gros seins durs et blancs, de larges
épaules blanches et rondes, de grandes fesses
dures et blanches, un grand ventre dur et blanc,
de longues cuisses musclées. Présentement Béa se
tenait au milieu du living, vêtue d'un pyjama
d'intérieur en soie vert d'eau aux manches évasées
s'arrêtant au coude, les pieds nus sur la moquette
prune sous les pattes d'éléphant du pantalon, et
comme elle se mettait à arpenter la pièce, les
effluves de *Jicky* l'accompagnèrent discrètement.
– Tu es parti comme ça sans rien dire à per-

sonne? dit-elle. Tu n'as pas donné ton nom, tu ne connais pas celui du type? Tu n'as même pas dit où tu l'as trouvé, est-ce que tu te rends compte?

— Je ne sais pas, dit Gerfaut. D'un coup, j'en ai eu marre, tout me faisait chier, c'est une impression que j'ai par moments.

Il était assis sur le canapé de cuir et de toile orné de sangles. Il n'était ici que depuis quelques minutes. Il avait ôté son veston et sa cravate, délacé ses chaussures. En pantalon et chemise, le col ouvert, les chaussures ouvertes, il se laissait aller en arrière dans le canapé, un Cutty Sark bourré de glace et noyé de Perrier en équilibre précaire sur son genou gauche, une Gitane-filtre au coin de la bouche, des taches de transpiration sous les bras. Vaguement perplexe, il avait envie de pouffer.

— Marre! dit Béa. Chier?

— Quoi, j'avais envie de m'en aller.

— Quel plouk!

— Ça, dit Gerfaut, c'est vraiment hors de propos.

— Absolument pas. Qu'est-ce qu'ils ont dû penser? Tu te pointes avec un accidenté de la route et tu prends la fuite. Dis-moi ce qu'ils vont penser!

— Ah, mais, il leur expliquera. Et puis je m'en fous.

— Et s'il ne sait pas ce qui lui est arrivé? Et s'il est en état de choc? Et s'il est mort?

— Ne crie pas, tu vas réveiller les petites. (Il était plus de quatre heures du matin.)

28

– Je ne crie pas!

– Bon alors, ne prends pas un ton si offensif.

– Tu veux dire agressif.

– Je veux dire offensif!

– C'est toi qui cries, maintenant. Hahaha!!! dit Béa.

Gerfaut saisit son verre et s'astreignit à le vider lentement et sans respirer, la Gitane-filtre tenue verticalement entre le pouce et l'index droit, le filtre en bas, à cause de la cendre longue qui menaçait de tomber et il n'y avait pas de cendrier à portée de la main.

– Oh, écoute, dit-il quand il eut fini de boire, on réfléchira à tout ça demain. Je n'ai tué personne, j'ai fait ce qu'il fallait, et puis d'abord le plus probable, c'est qu'on n'en entendra plus jamais parler.

– Mais bon dieu!

– Béa, s'il te plaît. Demain.

Sa femme parut sur le point d'exploser, ou peut-être de rire car elle n'était pas malgré les apparences ce qu'on appelle une emmerdeuse ou une peau de vache, elle était le plus souvent joyeuse et conquérante. Enfin elle se détourna silencieusement et disparut dans la cuisine. La cendre de la Gitane-filtre tomba sur la moquette. Gerfaut se leva, il écrasa du pied, balaya et étala et dispersa la souillure, puis alla dans le coin allumer la chaîne *Sanyo* et mettre en sourdine du Shelly Manne avec Conte Candoli et Bill Russo. Au retour il écrasa sa cigarette dans un cendrier d'albâtre qu'il emporta avec lui sur le canapé où il se rassit et alluma une autre Gitane-filtre avec son Criquet. Les enceintes quadriphoniques diffusèrent doucement la musique douce. Gerfaut fumait et regardait le living, dont une partie seulement du système d'éclairage, la plus discrète, donnait actuellement de la lumière. De sorte qu'une pénombre élégante baignait les fauteuils assortis au canapé, et la table à café, et les cubes de plastique blanc cassé où reposaient un coffret à cigarettes, une lampe en forme de champignon en plastique vermillon, les numéros récents de *L'Express, Le Point, le Nouvel Observateur, Le Monde, Playboy* en édition américaine, *L'Echo des Savanes* et d'autres publications; et les caisiers à disques où l'on trouvait des disques de musique symphonique et d'opéra et de jazz *west coast* pour une valeur de quatre ou cinq mille francs; et les rayons de teck encastrés dans le mur et soutenant plusieurs centaines de volumes, c'est-à-dire presque tous les meilleurs écrits produits par l'humanité et aussi des merdes.

Béa revint de la cuisine avec deux Cutty Sark et un sourire de tendre ironie. Elle s'assit de côté près de son mari, lui passa un verre et remonta ses pieds nus sous ses fesses. Elle enroula une boucle de cheveux autour de son index.

— Bon d'accord, dit-elle, on n'en parle plus, on verra bien. Le voyage à part ça? Ça s'est bien passé? Ça s'est arrangé?

Gerfaut hocha la tête avec contentement et donna quelques détails sur la façon dont il avait heureusement conclu une affaire, de sorte qu'il allait toucher une commission de quinze mille francs, en plus de son salaire mensuel qui était supérieur à la moitié de cette somme. Il commença à raconter comment, au cours d'un déjeuner, la femme du représentant local s'était horriblement enivrée et ce qui avait suivi. Mais soudain il apparut que ça ne lui paraissait pas tellement drôle et il conclut abruptement sa narration.

— Et toi, demanda-t-il, comment ça s'est passé?

— Bien. La routine. On fait les deux dernières projections du Feldman demain. C'est Karmitz qui va nous le sortir, finalement. Tu pues la sueur, dis donc.

— Ah mais, dit Gerfaut, voilà ce que je suis. Génériquement parlant. Un pue-la-sueur.

— Tais-toi donc. (Béa reprit pied sur la moquette et se cambra en s'étirant, ce qui permettait d'apprécier sa belle charpente et son harmonieuse incarnation souple-dure.) Tais-toi, répétat-elle. Finis ton scotch. Va prendre une douche. Et viens baiser.

Gerfaut se tut, vida son whisky, alla prendre une douche, revint et baisa. Mais entre-temps il se cogna l'épaule au chambranle de la porte de la salle de bains, dans la baignoire il glissa et faillit tomber et se rompre le cou pendant qu'il se douchait, et il lâcha deux fois sa brosse à dents dans le lavabo et manqua casser son vaporisateur de désodorisant Habit Rouge. De deux choses l'une : ou bien il était ivre après deux verres, ou bien quoi?

5

La tentative de meurtre sur la personne de Gerfaut n'eut pas lieu tout de suite, mais tout de même très vite : trois jours plus tard.

Le lendemain de son retour nocturne, Gerfaut se réveilla à midi. Les fillettes étaient à l'école, d'où elles ne rentreraient qu'en fin de journée car elles sont demi-pensionnaires. Béa était partie vers dix heures en laissant un message sur l'oreiller. Elle était capable de dormir quatre ou cinq heures seulement et d'être ensuite fraîche et efficace toute la journée. Elle était capable aussi bien de dormir trente heures d'affilée, d'un sommeil profond d'enfant. Le message disait : « *9 h 45 – Thé in the thermos – rôti froid au réfrigérateur – ai réglé Maria – je rentre dans l'après-midi (valises) mais seconde projection 18 heures Antégor si le gusta et si tu peux – LOVE* » (l'encre était violette et l'écriture élégamment négligée, Béa avait utilisé un marqueur à pointe de feutre).

Gerfaut alla dans le living où il trouva la thermos de thé sur la table à café et des biscottes, du beurre, le courrier. Il but du thé et mangea deux biscottes beurrées et ouvrit le courrier. Il y avait plusieurs offres d'abonnement à des revues économiques et des lettres d'information économique; un ami dont Gerfaut n'avait pas eu de nouvelles depuis deux ans écrivait d'Australie que sa vie conjugale était devenue intenable et demandait à Gerfaut s'il fallait qu'il divorce, à ton avis; sur une carte verte, le partenaire de Gerfaut avait indiqué son coup bimensuel. Gerfaut nota le coup dans son carnet, se dit qu'il n'aurait pas le temps de réfléchir dans l'immédiat, avec le départ en vacances et tout ça, aussi répondit-il aussitôt et mécaniquement, en roquant, comme a fait Harston contre Larsen dans la même position, en 1974, au tournoi de Las Palmas. Dans la partie de la carte verte permettant une correspondance, il indiqua l'adresse qu'il aurait à Saint-Georges-de-Didonne pendant tout le mois suivant.

Rasé, douché, peigné, désodorisé, vêtu, vers 14 heures, il se regardait dans la glace de l'entrée. Beau visage pâle et ovale, les cheveux blonds, le nez et le menton énergiques, mais les yeux bleu liquide, le regard un peu vague, un peu mou, un peu étonné et fuyant. La taille un peu petite. L'été passé, chaussée de sabots aux talons gigantesques, Béa le dépassait de plusieurs centimètres. Des proportions, une carrure et des muscles simplement convenables, entretenus par la gymnastique plus ou moins quotidienne. Pas trop d'estomac pour le moment, mais une menace de ce côté. L'ensemble était contenu dans un slip Mariner, un complet de jersey ardoise sur une chemise rayée de blanc et d'ardoise à col blanc uni, cravate prune; chaussettes de fil; chaussures anglaises prune aux nombreuses coutures apparentes, ou peut-être appelle-t-on ça des surpiqûres.

L'ascenseur mena Gerfaut directement à sa Mercedes, dans le parking en sous-sol de l'immeuble. Il démarra, sortit du parking, sinua jusqu'à la gare d'Austerlitz, passa la Seine. Le lecteur de cassettes diffusait du Tal Farlow. Au bout d'une vingtaine de minutes, Gerfaut atteignit le siège social de sa boîte, filiale d'I.T.T., tout près du boulevard des Italiens. Il rentra la Mercedes au parking en sous-sol de la boîte. L'ascenseur le mena d'abord au rez-de-chaussée, où il mit dans la boîte à courrier la carte verte retimbrée et réadressée à son partenaire, un professeur de mathématiques de Bordeaux, à la retraite. Le hall du rez-de-chaussée était plein de pue-la-sueur qui vaticinaient. Gerfaut regagna l'ascenseur et monta au deuxième étage. Le hall du deuxième étage était également plein de pue-la-sueur qui vaticinaient et s'agitaient. Une plante verte se renversa doucement comme Gerfaut sortait avec peine de l'ascenseur. Un délégué C.G.T. se tenait sur les marches menant au troisième étage. Il portait une chemise à carreaux et un pantalon de toile bleu roi.

— Pardon, pardon, excusez-moi, marmonnait Gerfaut en se frayant un passage.

— Si M. Charançon a peur de sortir, était en

35

train de crier le délégué, on va aller le chercher par la peau du cul.

Les occupants du hall crièrent leur approbation. Gerfaut se dégagea de la cohue, enfila un couloir au sol de Gerflex, atteignit et franchit la porte de son bureau. Dans l'antichambre, Mlle Truong vernissait ses ongles d'écarlate.

– Comment faites-vous? demanda Gerfaut. Avec des ongles pareils. Je veux dire, vous tapez tout de même beaucoup. Vous ne les cassez pas?

– De temps en temps. Bonjour, monsieur. Vous avez fait bon voyage?

– Excellent voyage, merci. (Gerfaut allait passer dans son bureau proprement dit.)

– Roland Desroziers est à l'intérieur! s'écria Mlle Truong. Je ne pouvais tout de même pas me battre!

– Personne ne vous demande de vous battre, dit Gerfaut qui entra dans son bureau et ferma la porte. Salut Roland, dit-il.

– Salut, petit pourri, dit Desroziers qui était militant écologiste, délégué C.F.D.T. et portait un jean et un pull noir et avec qui Gerfaut avait milité au début des années soixante à la fédération de Seine-banlieue du P.S.U., dans la fraction s.r. Ça palabre, ça palabre, dit-il. Je suis entré boire un verre. (Et en effet Desroziers avait sorti la bouteille de Cutty Sark et il était en train de s'envoyer une grosse quantité dans un gobelet en carton.) Tu permets tout de même que je boive ton whisky, non?

36

– Mais oui, bien sûr, dit Gerfaut en riant et en regardant discrètement dans la bouteille et dans le gobelet pour voir si Desroziers en avait pris beaucoup. Ça palabre, ajouta-t-il, mais le bureaucrate stalinien parle d'aller chercher le directeur par la peau du cul, ce sont ses propres termes, tu vas te faire déborder si tu restes là à boire l'alcool des riches.

– Merde, dit Desroziers en plongeant son museau dans le gobelet qu'il vida précipitamment et reposa en toussant. Je me casse, ajouta-t-il.

– Foutez le feu, détériorez l'ordinateur et pendez Charançon, suggéra Gerfaut avec lassitude en s'asseyant derrière son bureau et en empoignant la bouteille pour la ranger. Tout le pouvoir aux conseils de travailleurs, ajouta-t-il amèrement mais le cédétiste s'était éclipsé.

Dans l'après-midi, Gerfaut régla les affaires pendantes, reçut des vendeurs à qui il donna des instructions, eut un long colloque avec son subordonné immédiat, qui allait le remplacer durant le mois de juillet et qui espérait, à force d'intrigues, de servilité et de perfidie, bientôt le remplacer totalement et définitivement. Gerfaut d'autre part fut reçu par Charançon qui venait à grand-peine de se dépêtrer de l'agitation ouvrière, avait le front empourpré, un minuscule badge du Lions Club de France à la boutonnière, et des bretelles Cardin sous son complet gris. Derrière Charançon, accrochée au mur, il y avait une pancarte sous verre où se voyaient de jolies fleurs roses peintes et l'inscription « *Home, Sweet Home* », en grosses lettres tarabiscotées rose pâle. En surimpression sur les fleurs et l'inscription rose, on pouvait lire un texte en petits caractères noirs, dont l'auteur est Harold S. Geneen, chef d'I.T.T., et qui va ainsi : « *Un peu partout à travers le monde plus de 200 journées de travail par an sont consacrées à des rencontres directoriales à différents niveaux organisationnels. C'est au cours de ces réunions à New York, Bruxelles, Hong Kong, Buenos Aires, que sont arrêtées les décisions fondées sur la logique, cette logique des affaires qui débouche sur des choix quasiment inévitables pour la raison que nous disposons de tous les éléments fondamentaux qui sont nécessaires à nos décisions. Au même titre que notre planification, nos réunions périodiques ont pour fonction de dégager clairement la logique des choses et de la présenter au grand jour où sa valeur et sa nécessité apparaissent aux yeux de tous. Pareille logique échappe à toutes les lois et tous les décrets d'Etat. Elle résulte d'un processus naturel.* » Il est impossible de dire si la présence de cette pancarte dénote, chez Charançon, un humour secret ou bien le stade terminal de la réification. Charançon félicita Gerfaut de l'heureuse conclusion des négociations de la veille et l'avant-veille et l'on convint que sa prime serait virée sur son compte bancaire, courant juillet. Charançon leur versa deux Glenlivet.

— Merci, dit Gerfaut en prenant le Glenlivet que Charançon lui tendait.

— Ils sont complètement déments, observa Charançon. Tu te rappelles 68, ils étaient encore en grève à la mi-juillet, ils ne savaient pas ce qu'ils voulaient, tu te rappelles?

– Quand ils le sauront, dit Gerfaut, vous et moi devrons nous mettre à travailler ou bien faire nos valises. (Il but une gorgée de Glenlivet.) Ils veulent la chute du capitalisme, observa-t-il.

– C'est ça, mon con, approuva distraitement Charançon.

De retour dans son bureau, tandis qu'il mettait la pièce en ordre, Gerfaut eut encore à subir les provocations érotiques de Mlle Truong, qui ne cessait de traverser la pièce, de déplacer des objets en se penchant en avant de toutes ses forces, de se flanquer des poussières dans l'œil et de se mettre sur la pointe des pieds, cuisses et fesses et seins et bras en élongation, sous prétexte de remettre d'aplomb le calendrier Air France, les plannings, les sous-verre, etc. Et pourtant, Gerfaut en était certain, s'il lui avait mis la main au panier, elle eût hurlé, fait scandale, griffé la joue de l'homme avec ses féroces ongles écarlates. Gerfaut l'envoya en bas chercher *France Soir* (Béa se chargeait de rapporter *Le Monde* à la maison). Il fallait jouer le trois, le sept et le douze. Les chars et l'aviation étaient intervenus contre six mille paysans boliviens insurgés. Un Esquimau avait été abattu comme il tentait de détourner un Boeing 747 sur la Corée du Nord. Un chalutier breton avait disparu avec onze hommes à bord. Une centenaire venait d'avoir cent ans et proclamait son intention de voter à gauche. Le gouvernement préparait un train de mesures brutales. Des extraterrestres avaient volé un chien sous les yeux de son propriétaire, un garde-barrière, dans le Bas-Rhin. A l'imitation d'une mode récente de la *west coast* – de la côte ouest – des Etats-Unis, un couple avait tenté de s'accoler en public sur une plage française de la Méditerranée et avait été empêché et appréhendé par la gendarmerie. Gerfaut jeta un coup d'œil aux bandes dessinées et flanqua le journal dans la corbeille à papiers.

– Je m'en vais, dit Mlle Truong.

– A demain.

– Comment, à demain?

– Ah oui, pardon. Eh bien, nous nous reverrons le premier août. Passez de bonnes vacances.

– Vous aussi, monsieur.

Elle s'en alla. Gerfaut s'en alla un peu plus tard. Il était près de sept heures du soir, trop tard pour rejoindre Béa à la projection du Feldman, que Gerfaut de toute façon n'avait pas envie de voir. Il aurait pu quitter son bureau deux heures plus tôt, mais il voulait montrer que même à la veille des vacances, il avait travaillé dur, fait plus qu'il n'était obligé.

Après quarante-cinq minutes d'une progression très lente à travers les encombrements, le lecteur de cassettes diffusant du Lee Konitz avec Lennie Tristano, Gerfaut rangea sa Mercedes au parking souterrain de son immeuble du 13e arrondissement et monta chez lui. Les fillettes étaient là qui regardaient les Actualités Régionales. (Elles regardaient n'importe quoi, pourvu que ce fût sur un écran ou un tube; elles ne faisaient pas de différence entre les Actualités Régionales et, disons, *Fièvre sur Anatahan*.) Leurs bagages et ceux de Béa étaient faits à quatre-vingt-dix pour cent. Gerfaut se doucha, se changea, fit ses propres bagages avec l'impression d'oublier toutes les choses importantes, puis servit aux fillettes du rôti froid avec de la sauce-salade Heinz, et des yaourts bulgares. Puis il les envoya se coucher et éteignit la télévision tandis qu'elles l'insultaient bassement et avec sérieux. Puis Béa rentra, de bonne humeur. Pendant qu'ils mangeaient tous deux dans la cuisine du rôti froid avec de la sauce-salade, elle lui raconta que Maria, ce matin, l'avait suppliée de lui donner la clé de l'appartement pendant leur absence. Soi-disant qu'elle avait rompu avec son Berbère, lequel la cherchait pour la tuer. Celui qui voulait la mettre au trottoir, demanda Gerfaut. Et Béa dit que c'était de la blague en s'essuyant le coin de la bouche avec sa serviette en papier. Tout ça, c'était pour l'amener ici, vider le bar et s'envoyer en l'air. Mais tout de même, dit Gerfaut, s'il la poursuivait vraiment, la pauvre petite. La pauvre petite, la pauvre petite, elle est de taille à se défendre, assura Béa d'un ton définitif.

Après le dîner, ils jetèrent les assiettes en carton dans le vide-ordures, lavèrent le reste de la vaisselle qu'ils laissèrent dans l'égouttoir, achevèrent les bagages, se brossèrent les dents, se mirent au lit, lurent quelques pages, elle du dernier ouvrage d'Edgar Morin, lui d'un vieux John D. McDonald, et dormirent. Gerfaut se réveilla un peu après deux heures du matin et fut la proie aussitôt d'une insomnie inexplicable et terrifiante. Il alla avaler un demi-comprimé de somnifère avec un peu de lait. Il se rendormit sans problème vers trois heures. Le lendemain de bon matin tout le monde se leva et partit en vacances. Comme Gerfaut avait pris la précaution de se libérer dès le 29 juin, la circulation était fluide. Grâce à cela et aux autoroutes, ils mirent moins de sept heures de temps, repas de midi compris, et sans excès de vitesse, pour atteindre leur destination. Le soir du 29 juin, ils couchèrent donc à Saint-Georges-de-Didonne. Et le lendemain, on essaya de tuer Georges Gerfaut.

6

Un des hommes qui le 30 juin essayèrent de tuer Georges Gerfaut était assis dans la Lancia Beta Berline 1800 en stationnement à cinquante mètres de l'entrée de l'immeuble de Gerfaut à 11 h 50 le 29 juin. Il y avait deux cantines métalliques à l'arrière de la voiture. Dans l'une, il y avait des vêtements, des affaires de toilette, un roman de science-fiction en langue italienne, trois couteaux de boucher extrêmement pointus et effilés, un fusil à aiguiser, un garrot à trois brins en corde de piano avec des poignées d'aluminium, une matraque en cuir plombé, un revolver Smith & Wesson modèle 1950 calibre .45, un automatique Beretta 70T et son réducteur de son. Dans l'autre cantine, il y avait des vêtements, des affaires de toilette, six mètres de cordelette en nylon et un automatique SIG P210-5 de tir à la cible, chambré en 9 mm. Dans un sac de toile sur le plancher de la voiture se trouvaient des jumelles de haute précision et un superposé M6 comme en utilise l'U.S. Air Force, avec une crosse pliante,

43

un canon chambré en .22 et l'autre, lisse, en 410. Faut-il considérer un tel arsenal comme impressionnant ou comme grotesque? Il y avait des munitions de plusieurs sortes dans des boîtes en bois épais dans le coffre de la Lancia. L'homme qui se trouvait dans la voiture était au volant, appuyant son menton contre sa gorge, son dos contre le dossier du siège et un mensuel de bandes dessinées contre le volant à housse de cuir. Le mensuel s'intitulait *Strange* et racontait les aventures du Captain Marvel, de l'intrépide Daredevil, de l'Araignée et d'autres personnes. L'homme lisait avec concentration, en remuant les lèvres. Une succession d'émotions se lisait sur son visage. Il s'identifiait vachement.

Au bout d'un moment, l'autre type, celui qui avait des cheveux noirs ondulés et des yeux d'un très joli bleu, sortit de l'immeuble de Georges Gerfaut, regagna la Lancia et s'assit à côté de son compagnon. Celui-ci rangea *Strange* dans le vide-poche de sa portière et dilata les narines d'un air intrigué.

— Ça sent la graisse, observa-t-il.

— La friture, dit l'autre, la friture. La gardienne faisait des frites. Georges Gerfaut est parti en vacances pour un mois. J'ai l'adresse. C'est à Saint-Georges-de-Didonne dans le 17.

Les tueurs regardèrent d'abord dans l'agenda du brun pour savoir à quel département correspondait le numéro 17 et découvrirent que c'était la Charente-Maritime. Ensuite ils saisirent un atlas des grandes routes de France qui était fixé au pare-soleil droit avec un élastique; ils le compulsèrent, repérèrent Saint-Georges-de-Didonne et établirent leur itinéraire.

— Je conduis vite, dit l'homme aux mèches livides. On peut y être ce soir.

— Au cul, merde, oui, répondit le brun d'un ton rancuneux. Il nous attendra. On va faire un gueuleton d'abord. Et puis on va faire du tourisme. C'est vrai, merde, quoi.

— Le monsieur Taylor, il a dit vite, Carlo.

— Taylor, dit Carlo, qu'est-ce qu'il sait dire? Il sait rien dire, Taylor. Il est à l'aise dans ses baskets, Taylor.

L'homme aux mèches livides dilatait nerveusement les narines.

— Réellement, Carlo, tu sens la graisse et la friture.

— Ce que tu peux être chiant! s'exclama Carlo.

Il se retourna vers les sièges arrière, ouvrit une cantine, en retira une trousse de toilette dont il sortit un flacon d'aftershave Gibbs. Il se fit dégoutter de la lotion dans la paume et se tapota avec la paume les joues et sous les bras. Ensuite il rangea son barda.

— Si on ne se presse pas, dit l'homme aux mèches livides, on peut s'arrêter en cours de route au Lude. C'est joli, le Lude. Il y a un joli château.

— Si tu veux, d'accord, dit Carlo. Tu démarres, oui ou merde? On ne va pas rester ici cent ans.

7

Entendant Gerfaut fourgonner et jurer entre ses dents dans la cuisine, Les fillettes descendirent. Gerfaut renonça à les tancer, bien qu'il fût trop tôt, de son point de vue, pour se lever.

Les fillettes étaient habillées. Gerfaut dénicha un short en jeans et une chemise Lacoste et ils partirent tous les trois dans la Mercedes, sur le front de mer. Il faisait déjà très chaud. La plage était complètement déserte. Un snack-bar en planches ne manifestait aucune intention d'ouvrir. La Mercedes tourna à droite, longea un parc d'attractions immobile et un cimetière, tourna à gauche, se rangea finalement dans une ruelle, près d'un antiquaire qui vendait également des romans policiers, des coquillages vernis et des bandes dessinées traduites de l'italien. Gerfaut et les fillettes trouvèrent un bar ouvert et s'installèrent sur des chaises de plastique à trous, rouges, jaunes, bleu pastel. On but des bols de café crème gris où flottaient quelques grains de marc et l'on mangea des croissants au beurre achetés à la boulangerie proche. Puis l'on revint. Du vent s'était levé, du sable voltigeait sur la route longeant la plage, de petits arbres plantés dans des bacs en bois s'agitaient comme des plantes carnivores. Le café au lait faisait une boule huileuse sous le sternum de Gerfaut.

Il laissa la bagnole sortie. Dans la pièce principale, stores remontés, fenêtres ouvertes, Béa, vêtue d'un immense peignoir blanc, trempait une Triscotte dans du thé *special for breakfast* de Fortnum & Mason. Elle ôta une miette de sa commissure.

– Où étiez-vous passés? Qu'est-ce qui vous a pris? Vous êtes allés voir la mer?

– On a mangé! On a mangé! crièrent les fillettes qui foncèrent avec fracas hors de la pièce et dans l'escalier.

Gerfaut s'assit à la table.

– La maison te plaît? demanda Béa.

– Nom de dieu, dit Gerfaut. Pourquoi est-ce que nous n'allons pas dans un bon hôtel? En Afrique du Nord, aux Canaries, nom de dieu, (Arrête, arrête de jurer était en train de gronder Béa) n'importe où, mais un endroit où il ne fait pas jour dans la chambre à cinq heures et demie du matin, où l'on n'entend pas les chiens qui aboient, les coqs qui chantent et tous ces horribles bruits, tu peux me dire pourquoi? Nous pouvons nous payer un très bon hôtel, alors pourquoi?

– Tu sais pourquoi, c'est inutile de discuter, tu cherches uniquement à m'écraser.

– Moi je cherche à t'écraser? Seigneur!

– Tu voudrais bien, mais je ne te laisserai pas faire, alors c'est inutile de discuter, tu n'as qu'à rentrer à Paris si tu ne te plais pas ici.

– Si je ne me plais pas ici! Seigneur! répéta Gerfaut en laissant errer son regard sur le canapé de cuir moisi, les fauteuils de même, les deux buffets Henri II, les deux tables très lourdes aux pieds sculptés, les dix chaises (deux buffets, deux tables, dix chaises, Seigneur!) et sur la porte des latrines qui ouvrait directement dans la pièce principale et s'ornait de l'effigie d'un garçonnet en culotte courte, aux chaussettes tirebouchonnées, aux cheveux blonds ébouriffés, aux yeux bleus malicieux et scintillants, aux bonnes joues rouges, qui retournait coquinement la tête vers l'observateur tout en pissant contre un bec de gaz montmartrois.

Béa se méprit sur l'expression rêveuse de Gerfaut, le crut calmé et lui posa la main sur l'avant-bras. Elle lui dit qu'il était fatigué par le voyage et qu'il avait mal dormi, et qu'elle comprenait. Quant à la maison, elle était certes hideuse, mais on n'était pas venu au bord de la mer pour rester enfermé. Et puis on allait l'arranger un peu, ôter l'affreux chromo, monter une table au grenier. (Nom de dieu! grogna Gerfaut, tu te rends compte du poids de ces choses?), et les chambres n'étaient pas mal, et le jardin était vraiment bien.

– Chaque année, dit Gerfaut, je trouve que c'est pire. Pourtant ça ne l'est pas.

– Chaque année, dit Béa d'un ton ferme, tu

49

décides que nous ne remettrons pas les pieds ici et tu refuses de visiter des maisons. Et chaque fois, quand il faut décider, à la dernière minute, nous décidons ensemble que nous n'étions pas mal l'an passé, seulement on n'a jamais le loisir de venir, c'est ma mère qui choisit, et d'ailleurs il n'y a plus le choix.

— Cette année, dit Gerfaut, je suis certain qu'il y avait le choix. (Il se leva de table et se mit à bredouiller des choses au sujet de l'inflation et de la déflation et de la reprise et du chômage, et les gens étaient raides, ils partaient en août, ils ne partaient qu'un mois, Gerfaut était certain qu'on aurait pu choisir tout ce qu'on voulait pour juillet.)

— Ecoute, dit Béa, c'est fait, c'est fait.

— Ta mère est une conne.

— Ma mère est une conne, approuva Béa avec une équanimité désarmante. Nous déjeunons chez elle et tu me feras le plaisir d'être rasé et poli.

Gerfaut éclata de rire. Il se laissa retomber sur son siège et rit assez longuement, tantôt renversant la tête en arrière, tantôt secouant la tête, et se tapant sur les cuisses. Béa finissait sa Triscotte, paisible. Gerfaut cessa de rire et s'essuya les yeux.

— Un de ces jours, dit-il, je vais devenir subitement fou et tu ne t'en apercevras même pas.

— S'il y a une différence, je la verrai.

— Quel humour, dit Gerfaut avec tristesse. Quel humour. Quel humour. Quel humour.

Il alla se laver et se raser. Quand il remit

l'essuie-mains au porte-serviettes, celui-ci se détacha du mur avec un grincement, en même temps qu'une petite quantité de plâtre et deux vis tordues. Gerfaut laissa l'essuie-mains, le porte-serviettes et le plâtre où ils étaient, par terre. Il alla faire à la Coop des courses essentielles, avec la voiture. On constitua ainsi un stock de féculents, d'huile, de fromage, de lait, d'alcools, de vin, d'eau plate et d'eau gazeuse. Les fillettes réclamaient bruyamment qu'on louât un récepteur de télévision.

— On ne peut rien capter ici, affirma Gerfaut.

— Et l'an dernier, alors?

— Il faut une antenne extérieure.

Les fillettes se ruèrent dehors en renversant une chaise. Elles revinrent en hurlant qu'il y avait une grande antenne sur le toit. Gerfaut capitula et dit qu'il ferait le nécessaire.

— Quand? demandèrent les fillettes. Quand?

— Cet après-midi. J'irai à Royan.

Elles se turent comme si on avait appuyé sur la touche ad hoc. Ensuite on se rendit à pied chez la mère de Béa, avec laquelle on déjeuna.

— Tu dois aller à Royan louer une télévision, lui rappelèrent les fillettes quand on sortit de chez l'horrible vieillarde.

Gerfaut prit la Mercedes et alla louer une télévision à Royan. Sur le chemin du retour, il doubla une Lancia Beta Berline 1800. Dans la maison vide à la hideur de laquelle il ne s'habituait pas, il installa le récepteur. Enfin il se dévêtit pour enfiler un caleçon de bain d'un vert plâtreux,

51

se rhabilla et partit rejoindre à la plage Béa et les fillettes.

Il était 17 heures. Le soleil était neutre et brûlant. Malgré l'inflation et la déflation et le reste et bien qu'on fût le 30 juin il y avait pas mal de monde sur le sable et dans l'eau. Gerfaut se demanda ce que ça serait dans trois jours.

Il mit cinq bonnes minutes à repérer Béa et les fillettes. Toutes trois s'étaient baignées, s'étaient exposées au soleil pendant trente minutes et s'étaient rhabillées. Assise dans un fauteuil de plage, en jean et chemisier de crêpe, Béa lisait de l'Alexandre Kollontai. En T-shirt et salopette, les fillettes construisaient un bateau de sable. Gerfaut s'installa près de Béa dans l'autre fauteuil pliant. Les fillettes accoururent pour savoir si la télévision était installée et, satisfaites, repartirent fouir. Gerfaut se mit en slip. La blancheur de sa peau le gênait. Il alla seul se baigner.

Au bout d'un moment, les deux tueurs sortirent de la Lancia qui stationnait sur le front de mer. Ils étaient tous deux en short de bain. Ni le corps de l'un, ni le corps de l'autre ne comportaient de graisse. Au contraire, ils étaient tous deux très musclés et très bien musclés, harmonieusement, sans excès culturistes. Fugitivement chacun admira le corps de l'autre tandis qu'il se dirigeaient vers la mer et vers Gerfaut.

Celui-ci avait pénétré sans plaisir dans l'eau froide, avait marqué un temps d'arrêt comme s'immergeaient d'abord son pénis et ses couilles, puis son nombril. Il s'était alors ondoyé le torse et foutu carrément à la flotte. Il nageait dans cent vingt centimètres d'océan mêlé de Gironde, d'hydrocarbures, de paquets de Gauloises vides, de noyaux de pêche, de pelures d'orange, avec des traces d'urine, au milieu d'une population d'enfants, d'adolescentes rieuses, de joueurs de ballon, de vieillards sportifs, et il y avait même un Bantou en caleçon rouge. Il y avait du monde dans tous les azimuts. Parmi les voisins immédiats de Gerfaut, le plus proche était à moins de trois mètres de distance, et le plus éloigné dans une direction quelconque, à vingt-cinq mètres. Quand les deux tueurs en short de bain s'approchèrent de Gerfaut, celui-ci ne leur prêta pas attention. Il fut très surpris, comme il reprenait pied pour souffler, que le plus jeune le frappe sèchement au plexus solaire.

Gerfaut tomba lentement en avant la bouche ouverte et l'eau s'engouffra dans sa bouche. Le jeune assaillant le saisit à deux mains par la taille et lui maintint le milieu du corps sous l'eau. L'homme aux mèches livides empoigna les cheveux de Gerfaut dans sa main gauche, et il lui referma son autre main sur la gorge en lui enfonçant les doigts dans la chair, autour du pharynx. Il étranglait Gerfaut en même temps qu'il l'empêchait de sortir la tête de l'eau.

Dans l'instant où on lui avait porté le premier coup, Gerfaut avait eu le plexus solaire juste au niveau de l'eau. Le coup avait été donné tangentiellement à la surface. Sa force s'en était trouvée

53

amoindrie. A présent, Gerfaut n'était pas aussi totalement incapable de réagir qu'il aurait dû.

A l'aveuglette, sentant l'eau se déverser librement dans ses bronches, sa glotte vibrant sous les doigts du second agresseur, Gerfaut tâtonna dans la mer sale, effleura des cuisses, saisit des parties génitales à travers du nylon et s'efforça de les arracher. On lui lâcha la gorge. Il sortit la tête de l'eau. On lui tapa sur le crâne et sur la tempe et on l'enfonça de nouveau. Il avait à peine eu le temps d'aspirer un peu d'air. Il avait eu la vision ruisselante et brève des enfants, des adolescentes rieuses, des joueurs de ballon, du Bantou, en même temps qu'il percevait une bouffée de rires, de cris et de ressac (et un mec braillait hystériquement : « La passe, Roger! La passe! »), et tout ce petit monde ne se rendait pas compte qu'on est en train d'assassiner Gerfaut. Il lança délibérément sa tête vers le fond au lieu de tenter de remonter comme on s'y attendait, il arracha sa taille aux mains du tueur aux yeux bleus, il fit la galipette dans l'eau, ressurgit en vomissant de la bile et flanqua un coup de boule dans le menton du jeunot, quelqu'un lui abattit dans les reins un poing à ferrer les percherons, une seule écarlate pensée occupait le cerveau de Gerfaut : crève-les crève-leur les yeux arrache-leur les couilles à ces enfants de salaud qui essaient de te détruire!

8

Et alors, au bout d'une longue minute, les deux tueurs se mirent à fuir. Parce qu'ils n'arrivaient pas à venir à bout de leur gibier. Parce que leur gibier était devenu une espèce de machine hystérique qui remuait des masses d'eau considérables et qui menaçait à chaque instant de leur faire sauter un œil avec les ongles. Et parce que d'un instant à l'autre, Gerfaut allait retrouver assez d'air pour hurler, et alors les gens alentour, qui pour le moment étaient bien tranquilles et vaquaient à leurs petits jeux et occupations, les gens s'apercevraient que quelque chose n'allait pas. Et il faudrait se frayer un passage à travers une véritable foule, avec de l'eau jusqu'à la taille. Cela ne plaisait pas du tout aux deux tueurs. Ils se mirent donc à fuir.

Un instant, Gerfaut continua à se battre tout seul en poussant des grognements et des grincements. Le temps qu'il reprenne sa respiration, qu'il constate qu'on l'avait lâché pour de bon, les deux hommes étaient sortis de l'eau. Gerfaut mit un petit moment à les repérer. Ils remontaient la plage en trottant. Il y avait une rigole de sang sur la jambe du petit brun et il boitait. Puis ils quittèrent la plage et traversèrent la route et Gerfaut ne les vit plus. La route de bord de mer était surélevée par rapport à la plage, et il y avait une balustrade et il était interdit de stationner du côté de la mer. Une minute plus tard, une voiture de sport rouge démarra vivement et s'en alla. Gerfaut fit un vague geste du bras mais il ne pouvait même pas être sûr que c'était l'auto de ses agresseurs. Son bras retomba. Il promena son regard sur les baigneurs alentour.

— A l'assassin! cria-t-il sans conviction.

Le Bantou lui jeta un regard soupçonneux, puis s'éloigna dans un crawl impeccable. Les autres continuaient à se jeter de l'eau, à jouer au ballon, à glousser, à pousser des cris aigus. Gerfaut secoua la tête et revint lentement vers la plage en faisant des exercices respiratoires. Il revint vers Béa et les fillettes. Il avait les jambes en coton et sa gorge le brûlait. Il s'assit dans son fauteuil de plage.

— Tu l'as trouvée bonne? demanda Béa sans quitter son livre des yeux.

— Dis donc, fit soudain Gerfaut d'une voix rauque, est-ce que tu as combiné une blague idiote?

— Comment? Quoi? demanda Béa. (Elle se tourna vers Gerfaut et repoussa ses lunettes de soleil au bout de son nez. Par-dessus la monture, elle considéra son mari avec des yeux écarquillés et avec impatience.) Qu'est-ce que tu as au cou? Tu es tout rouge.

– C'est rien, c'est rien, dit Gerfaut d'un air rebutant.

Béa haussa les sourcils et se replongea dans Kollontai. Gerfaut sifflota quatre mesures de *Moonlight in Vermont*, s'interrompit, jeta à Béa un regard incertain. Il se retourna sur son siège, scrutant la plage et le trottoir du front de mer, clignant des yeux, mais il ne vit rien d'anormal. De fait, les deux tueurs étaient à quatre kilomètres de là dans un café-restaurant. Ils grognaient et roumageaient et venaient de commander deux douzaines d'huîtres et une bouteille de muscadet de Sèvre et Maine pour se consoler de leur ridicule échec. Gerfaut remua encore dans son fauteuil de plage, se pencha, fouilla le sac de plage de Béa, en tira un volume d'un certain Castoriadis consacré à l'expérience du mouvement ouvrier. Pendant un moment, il fit semblant de lire. Un peu plus tard, comme le soleil baissait, Gerfaut, Béa et les fillettes rentrèrent dans leur maison louée pour se changer et se donner un coup de peigne. Puis ils ressortirent et gagnèrent la crêperie bretonne qui se trouve près du front de mer, à côté du parc d'attractions et du loueur de cycles. Béa détestait faire la cuisine. On mangea vite, parce que les fillettes voulaient être rentrées pour le film qui passait ce soir-là à la télévision. Le film s'appelle en français *Le Port de la Drogue*, son auteur est Samuel Fuller. Gerfaut ne pouvait plus supporter l'impression qu'il avait. Il dit vers

20 h 25 qu'il allait acheter des cigarettes, il se trimbala à pied dans Saint-Georges, la nuit tombait, Gerfaut avait quasiment envie que les deux hommes réapparaissent et l'attaquent, ne serait-ce que pour mettre fin à son incertitude, il se retrouva sur le bord de mer. Un car passa qui allait à Royan. Gerfaut le prit. A Royan, il déambula encore. A 22 heures, à la gare de Royan, il prit le train pour Paris. Plus tard, quand il y repensait, bizarrement, la seule chose qu'il se rappelait de sa déambulation dans Royan ce soir-là, c'était la publicité d'une mercerie, Aux Doigts de Fée, lingerie, chemiserie, bonneterie, mercerie, spécialité de lingerie fine, layettes, dentelles, colifichets, bavoirs, mouchoirs fins, boutons, corsets indéformables et amincissants, ne remontant jamais même sans bas, ainsi que toutes les gaines et soutiens-gorge, plissés, jours, boutons, œillets, remaillage bas, boucles.

9

– Et moi, cria Gerfaut à Liétard avec une exaltation inquiétante, tu sais ce que je me rappelle de Royan? La pub d'une mercerie! Je la sais par cœur! (Et il la débita intégralement.)

– Bois ton café, dit Liétard.

Gerfaut but son café. Il était assis dans l'arrière-boutique d'ACTION-PHOTO, un petit magasin tenu par Liétard non loin de la mairie d'Issy-les-Moulineaux, où l'on vendait des appareils photographiques, de la pellicule, des caméras, des jumelles, des télescopes et quantité d'autres fourbis. Liétard portait une chemise rouge et un pantalon noir usagé. Il a une longue figure intellectuelle et des manières douces; il ne faut pas s'y fier. Il fait partie des gens qui se sont trouvés au mauvais moment dans la bouche du métro Charonne et qui en sont sortis vivants. L'année suivante, six mois après sa sortie de l'hôpital, Liétard a attaqué un sergent de ville isolé, de nuit, rue Brancion, il l'a assommé à coups de bâton et il l'a abandonné tout nu, avec deux côtes et la mâchoire cassées, menotté aux grilles des abattoirs de Vaugirard.

– Tu dois être crevé, dit Liétard. Tu as dormi, dans le train?

– Mais non, je n'ai pas dormi! Evidemment que non!

– Tu peux te reposer en haut. Tu devrais, tu sais.

– Je ne pourrai pas dormir.

– Si je te donne un somnifère?

– Ça ne me fera rien.

– Essaie toujours, dit Liétard.

Gerfaut grommela vaguement. Liétard lui apporta deux comprimés blancs et un verre d'eau. Gerfaut avala.

– Tu penses que je débloque, dit-il.

– Moi, dit Liétard, je ne pense rien. J'écoute. Il faut que j'aille ouvrir le magasin. Il est neuf heures, vois-tu.

Gerfaut hocha vaguement la tête. Liétard quitta la table et passa dans la boutique. Il ouvrit le magasin et presque tout de suite il dut servir un client qui désirait un rouleau de Kodachrome X, 36 vues. Quand Liétard revint dans l'arrière-boutique, Gerfaut était à moitié endormi et à moitié affalé sur le coin de la table. Liétard l'aida à monter à l'étage par l'escalier intérieur à vis, aux marches recouvertes de jute cloué. Gerfaut se déshabilla presque sans aide et se coucha. Il se mit aussitôt à ronfler, à bourdonner plutôt. Il s'éveilla une fois à demi, vit vaguement qu'il faisait jour, se demanda où il se trouvait, se rendormit. Quand il s'éveilla pour la seconde fois, le crépuscule venait derrière les volets. Gerfaut se leva. Il s'habilla. Liétard surgit par l'escalier à vis, une tasse de café à la main. Gerfaut se précipita sur lui et du café gicla de la tasse et coula dans la soucoupe.

– Espèce de salaud! cria Gerfaut. Tu as téléphoné à ma femme?

– Non, dit Liétard. Pourquoi? J'aurais dû?

– Tu as appelé les flics? Prévenu quelqu'un?

Liétard secoua la tête, perplexe. Gerfaut le lâcha et s'écarta avec une grimace d'excuse.

– On se fait un tartare? Comme au vieux temps? proposa Liétard. J'ai acheté de quoi.

Gerfaut approuva.

– Tu penses, dit Liétard quand ils furent attablés au rez-de-chaussée devant leur steak tartare qu'un excès de condiment dément faisait noircir dans l'assiette, tu penses qu'on a voulu te supprimer à cause du type que tu as ramassé sur la route l'autre nuit?

– Moi? Pourquoi? dit Gerfaut.

– C'est ce que tu as dit hier soir. Tu as dit que tu penses qu'on croit que tu as écrasé ce type ou quelque chose, et ses copains veulent le venger.

– Excuse-moi, j'ai pas compris, dit Gerfaut en secouant énergiquement la tête.

Liétard répéta.

– Ah oui, dit Gerfaut. Oui. Enfin, je ne sais pas.

– Tu devrais parler à la police. (Liétard versa du médoc.)

– J'ai pas envie.

61

Ils se regardèrent un instant en mâchant.

– Tu veux rester ici quelques jours? proposa Liétard.

– Non, non.

– Demain après-midi, à la télé, ah les salauds! Tu as vu? dit Liétard. Le Fuller hier soir? En v.f., les enculés! Ah non, c'est vrai, tu n'as pas vu. Qu'est-ce que je disais? Oui! Demain après-midi, ils passent *Le Réveil de la Sorcière Rouge* d'Edward Ludwig. Vraiment fou. Je pleure à la fin. Tu sais, ajouta-t-il, le truc qui me tue à chaque fois, je ne comprends pas comment ça fonctionne mais c'est garanti, c'est quand les gens morts ressuscitent à la fin, comme dans *Yang Kwei Fei*, ou *Madame Muir*. Tiens, même *Ce n'est qu'un au revoir*, à chaque coup je me dis merde quelle connerie militariste et à la fin ça ne rate jamais, quand Donald Crisp et la mère O'Hara se pointent sur la pente, vlan! (Il fit un geste pour indiquer avec exagération que des larmes alors ruisselaient sur son visage.)

– Honhon, fit Gerfaut qui n'avait pas la moindre idée de ce dont Liétard parlait.

Ils finirent leur tartare et leur vin. Il était neuf heures du soir. Ils allumèrent des cigarettes. Gerfaut demanda à Liétard s'il n'avait pas un peu de musique à mettre.

– Comme quoi?

– Un petit bleu de la côte ouest, dit Gerfaut.

– *Kleine Frauen*, dit Liétard, *kleine Lieder, ach, man liebt und liebt sie wieder*. Les petites femmes, expliqua-t-il, les petites chansons, on les aime encore et encore. Le petit bleu de la côte ouest, c'est toi. Désolé, mon pote. J'ai que du *hard bop*.

– Déjà au lycée, dit Gerfaut, nous n'étions pas d'accord.

Ensuite Liétard parla un peu de lui. Le magasin lui rapportait de quoi vivoter. Il ne songeait pas à se marier. L'an passé, il avait eu une liaison avec une Américaine.

– Et puis j'ai écrit un scénario, dit-il, mais la fin ne me satisfait pas. Faut que je trouve une fin. Et je vais peut-être écrire un livre sur les grands opérateurs américains.

– Béa, c'est ma femme, elle est attachée de presse dans le cinéma, dit Gerfaut.

– Ah, c'est chouette. Il faudra se revoir. Enfin, pas spécialement pour ça. D'une façon générale.

Peu après, Liétard dit qu'il allait bientôt aller se coucher et Gerfaut dit qu'il allait partir.

– Tu retournes à Saint-Georges-de-Didonne?

– Je ne sais pas. Oui, sans doute.

– Faut pas se monter la tête, dit Liétard. C'est sans doute deux dingues, ou des mecs à moitié bourrés qui s'en sont pris à toi dans la flotte comme ça au hasard. Il y a des cons partout, tu sais.

– Donne-moi un revolver, tu ne veux pas? dit Gerfaut.

– Oui, si ça peut te rassurer, dit Liétard. Mais alors, vite.

Ils remontèrent rapidement à l'étage. Liétard ouvrit un tiroir de la commode où se trouvaient

63

plusieurs boîtes et paquets enveloppés de chiffons. Il réfléchit un instant puis défit un paquet enveloppé d'un chiffon bleu sale. Il en sortit un pistolet automatique sur le flanc duquel on lisait BONIFACIO ECHEVERRIA S.A. — EIBAR — ESPANA « STAR ».

– Celui-ci, tiens, tu peux l'emporter, c'est un mec qui l'a laissé, il l'a carrément oublié, c'est une histoire marrante. Remarque, pas tellement marrante, si on réfléchit. C'était le copain d'un copain. Il arrivait d'Amérique du Sud, mais un Français. Son père a été torturé à mort par les Nazis pendant la résistance, il a été dénoncé, et sa mère savait par qui. Le môme, sa mère l'a élevé en Amérique du Sud, elle l'a élevé dans la haine, tu vois, pour qu'il tue le mec qui avait dénoncé son père. Vachement dramatique. Donc il s'est pointé, le vengeur solitaire, mais en fait il se faisait du cinéma avec son flingue. Une fois ici, il n'a jamais sérieusement cherché à retrouver le délateur. Lequel, si ça se trouve, était mort depuis longtemps. Il a rencontré une fille, ils se sont mariés, je crois qu'ils sont tous les deux profs à Aix. Il a carrément oublié son flingue chez moi. Ça tire du 7,63 Mauser.

– Merci, dit Gerfaut.

Liétard lui montra brièvement le fonctionnement de l'arme. Le magasin était plein, mais les cartouches avaient dix ou quinze ans d'âge. Liétard n'en avait pas d'autres. Les deux hommes descendirent au rez-de-chaussée. Ils se dirent au revoir. Liétard leva à demi son rideau de fer pour laisser sortir Gerfaut, et le rabaissa ensuite. Gerfaut s'en alla prendre le métro à la station Mairie d'Issy, le Star dans sa poche de veste, et chantonnant que votre jeunesse est morte et vos amours aussi.

10

Gerfaut alla directement chez lui après avoir quitté Liétard. Il alla de pièce en pièce après avoir rouvert les compteurs d'eau et d'électricité, et il alluma partout. Le logement était confortable et prosaïque. Il n'était pas possible d'imaginer des tueurs à l'affût dans le placard à balai. Gerfaut éteignit la plupart des lampes, prit une douche, se rasa, se changea et s'installa au salon avec un Cutty Sark tiédasse, car le réfrigérateur n'avait pas eu le temps d'agir, il n'y avait pas de glace et le temps était chaud. L'homme écouta du Fred Katz et du Woody Herman. A onze heures et demie du soir, il expédia à Béa un télégramme téléphoné, lui disant qu'il était désolé d'être parti sans prévenir, impossible faire signe plus tôt, t'expliquerai, lettre suit, tout va bien. A ce moment Gerfaut en était à son sixième whisky. Cela explique sans doute qu'il ait annoncé une lettre alors même qu'il envisageait de reprendre d'un moment à l'autre le chemin de Saint-Georges-de-Didonne. D'ailleurs il se mit à la rédiger, la lettre, et il renversa du whisky dessus à deux reprises.

« Je compte rentrer très vite à Saint-Georges, écrivait-il. Ma petite escapade doit te paraître incompréhensible. Pour être franc, je ne la comprends pas très bien moi-même. Je t'expliquerai. Je crois que c'est surtout une question de fatigue nerveuse. Toujours se battre et pour obtenir quoi? (Il raya cette dernière phrase.) L'année a été dure et je me suis beaucoup battu, écrivit-il. Parfois j'ai envie que nous laissions tout tomber et que nous nous retirions dans les montagnes pour faire pousser nos légumes et élever des moutons. Ne t'inquiète pas, je sais bien que ce sont des conneries. » Il termina sa lettre par des protestations d'amour en buvant encore quatre whiskies. A présent, Gerfaut avait de la glace. Il ouvrit une autre bouteille de Cutty Sark, mais il n'y avait plus d'eau Perrier. Il déchira la lettre éclaboussée d'alcool et la jeta dans le vide-ordures de la cuisine. Il se coucha sur le canapé, de tout son long, dans l'idée de reprendre des forces pendant seulement quelques minutes, et il s'endormit très profondément. Le télégramme à Béa arriva à la poste de Saint-Georges-de-Didonne à neuf heures du matin. Les deux tueurs étaient dans leur Lancia, garée au coin d'une petite rue résidentielle et, à travers le pare-brise, Carlo observait la maison de vacances des Gerfaut, à deux cent cinquante mètres de là. Vers 9 h 15 il vit Béa et les fillettes partir pour la plage avec un sac et des serviettes. Il saisit les jumelles sur le siège à côté de lui et observa la femme et les deux mômes. Les jumelles étaient très puissantes et Carlo put voir que Béa avait les traits tirés et avait pleuré récemment.

– Ho, fit-il. Psst. Ho.

L'homme aux mèches livides se redressa sur le siège arrière où il sommeillait et se cramponna d'une main au dossier avant. De son autre poing, il se frottait énergiquement un œil. Il bâilla.

– J'ai rêvé du vieux, observa-t-il.

– Taylor?

– Taylor n'est pas vieux. Non, l'autre. Le vieux de l'autre jour.

L'autre jour, les deux tueurs étaient entrés dans le bureau du vieux. Ils lui avaient fait un petit topo. Ensuite, pendant que l'homme aux mèches livides tenait le vieux, Carlo lui avait tapé sur la gorge avec la matraque de cuir plombé, jusqu'à ce que la gorge soit tout écrasée. Puis les deux tueurs avaient jeté le vieux à travers la croisée et il s'était fracassé sur la chaussée, cinq étages plus bas.

– La bonne femme et les mioches viennent de partir à la plage, dit Carlo. Il ne va pas tarder à suivre.

– Carlo, je ne pense pas qu'il soit dans la maison.

– On ne va pas recommencer cette discussion!

– Hier soir, il n'y avait que la femme et les petites filles dans la grande pièce, et il n'y avait de la lumière nulle part ailleurs, Carlo. Alors s'il n'est pas rentré...

– C'est qu'il était aux chiottes! affirma Carlo et

69

il ricana comme s'il avait dit quelque chose de drôle.

L'homme aux mèches livides secoua la tête, parut sur le point d'argumenter, puis changea d'avis.

– Il y a le facteur qui arrive, observa-t-il.

De fait, un télégraphiste monté sur une bicyclette freinait aux abords de la maison de vacances des Gerfaut. Il sauta à bas de sa machine qu'il coucha du même mouvement contre la haie et il se précipita dans le jardin et escalada les marches du perron d'un trot martial. Il sonna. Un télégramme était apparu dans sa main comme par enchantement. Au bout d'un instant il sonna encore, et encore un instant plus tard. Ensuite, il frappa à coups de poing contre le battant. Enfin il glissa le télégramme sous la porte, revint à son vélo et partit.

– Il a le sommeil lourd, ce con, dit Carlo. On pourrait peut-être entrer et lui faire son affaire.

L'homme aux mèches livides sortit de la voiture.

– Hé! fit Carlo. Je disais ça comme ça. Déconne pas, Bastien!

Bastien s'éloignait vers la maison. Carlo mit en marche le moteur de la Lancia, mais Bastien se retourna vers lui tout en marchant et lui fit de la main signe de s'écraser. Carlo coupa le contact et se laissa retomber contre le dossier de son siège avec un soupir excédé. Il avait mal au dos. Les deux hommes avaient passé la nuit dans l'auto.

Bastien arriva à la hauteur de la maison, entra

dans le jardin en poussant le portillon en bois et alla ramasser le télégramme qu'il ouvrit délicatement. Il en lut le texte en remuant les lèvres. Puis il remit le télégramme sous la porte et revint à la voiture.

– C'est de lui, dit-il. C'est de Gerfaut. C'est signé Georges et c'est un télégramme téléphoné, c'est expédié par Georges Gerfaut de chez lui à Paris. Il n'est pas ici, il est rentré chez lui. Alors? Qui est-ce qui avait raison?

– Chiotte! s'exclama Carlo.

– Alors? Qui est-ce qui avait raison? Dis-moi qui est-ce qui avait raison.

– C'est toi, Ducon.

Bastien remonta en voiture, prenant cette fois place à l'avant, au volant. Il démarra.

– Holà, dit Carlo. Où est-ce qu'on va?

– A Paris, Dunœud.

La Lancia s'ébranla et s'éloigna. Après un moment, une des fillettes apparut et regagna la maison. En entrant, elle ne vit pas le télégramme. Un peu plus tard elle ressortit avec un jeu de boules de pétanque en matière plastique contenu dans une espèce d'étui à claire-voie. Alors elle vit le télégramme, le ramassa et le lut et courut vers la plage.

11

C'est le téléphone qui éveilla Gerfaut en sonnant. L'homme se dressa avec un hoquet, manqua dégringoler du canapé, se rattrapa d'une main au dossier et de son autre poing se frotta les yeux, bouche ouverte, un peu comme avait fait le tueur Bastien une heure et demie plus tôt. Gerfaut mit un instant à se rappeler où il se trouvait. Il avait les yeux chassieux, l'haleine fétide et la langue chargée. Il se dirigea vers le téléphone en se grattant la poitrine, là où les hommes ont un buisson de poils, par l'échancrure de sa chemise. Il décrocha. En même temps il vit avec ennui que la chaîne était restée allumée depuis la veille. Quelqu'un lui cria dans l'oreille et il ne comprit pas tout de suite qui c'était, puis il comprit soudain que c'était Béa.

– Oui, dit-il. Attends, excuse-moi.

Elle cria de nouveau. Elle sanglotait. Elle voulait des explications. Gerfaut cependant se déplaçait en tenant tant bien que mal l'ensemble de l'appareil téléphonique. Il se dirigeait vers la chaîne. Il coupa l'alimentation, palpa un peu le tourne-disque et le tuner et l'ampli (ces deux derniers instruments étaient très chauds), fit la grimace.

– C'est un coup de dépression que j'ai eu, dit-il. (Il s'assit sur le canapé, posa le téléphone sur ses genoux en gardant le combiné contre son oreille, coincé entre son oreille et son épaule. Il chercha une cigarette du regard. Dans le combiné, Béa criait.) Holà! s'écria-t-il. Qu'est-ce qui se passe? Je t'entends très mal! (Avec son doigt, Gerfaut actionna à plusieurs reprises le cadran du téléphone. Chaque fois qu'il le mouvait, la communication s'interrompait.) Allô? Allô! cria-t-il. Béa, je ne sais pas si tu m'entends. N'aie aucune inquiétude. Je t'aime. C'est un coup de dépression. Je vais revenir. Allô? Je dis que je vais revenir. Je serai là-bas ce soir. Demain au plus tard. Allô? (Il continuait d'agiter le cadran. Tout ce qu'il disait parvenait de manière terriblement entrecoupée à Béa, qui ne cessait de son côté de vouloir se faire entendre.)

Soudain il coupa la communication en appuyant sur la fourche avec son index. Il relâcha la pression et écouta la tonalité. Il raccrocha le combiné et remit le téléphone en place. Il le débrancha. A présent Béa pouvait bien rappeler. Au bout du fil elle entendrait la sonnerie, mais lui, ici, il n'entendrait rien du tout, il n'y aurait même pas de sonnerie pour le déranger. Il passa dans la cuisine et se fit du thé. Pendant que le thé infusait, il prit de nouveau une douche et se rasa et se changea et les deux tueurs roulaient vers Paris à bord de leur Lancia Beta Berline 1800 écarlate. Et Gerfaut but son thé en mangeant de la marmelade d'orange sans pain, à la cuiller, et en lisant quelques pages d'un vieux numéro de la revue *Fiction*. Quand il eut fini son thé, il rebrancha le téléphone et appela une société de location de voitures sans chauffeur, puis un taxi.

Le taxi le déposa vers 11 heures à un garage où il prit possession de la Ford Taunus qu'il avait retenue. Un moment il roula dans Paris au hasard. Les deux tueurs filaient sur l'autoroute. Carlo avait pris le volant. Bastien somnolait à sa droite. Un moment ils s'étaient querellés, quand Bastien avait dit à Carlo le contenu exact du télégramme. Carlo avait alors soutenu qu'il aurait été plus intelligent d'attendre à Saint-Georges-de-Didonne que Gerfaut y revînt. Mais selon Bastien, l'expression « lettre suit » contenue dans le message indiquait que Gerfaut n'était pas près de revenir. Plusieurs fois ils se traitèrent mutuellement de tête molle et de con. Enfin Bastien s'était assoupi. Il se redressa soudain et jura.

— J'ai encore rêvé du vieux, dit-il.

— Moi, dit Carlo, je ne rêve jamais.

— Normalement, dit Bastien, moi non plus.

— Des fois, je voudrais bien, observa Carlo.

— Des fois, dit Bastien, je rêve à des châteaux, des châteaux, comment est-ce que je peux te dire? Je rêve à des châteaux tous dorés, avec des tours, des flèches. Tiens! on dirait exactement comme le mont Saint-Michel, tu vois? Mais montagneux, le paysage autour, et puis des brumes partout.

– Ce que je voudrais, moi, dit Carlo, c'est rêver de femmes.

– Non, dit Bastien. Non. Pas moi.

– La femme de l'autre fois, dit Carlo. Ça m'a plu.

L'autre fois, après qu'ils avaient jeté le vieux par la fenêtre, ils étaient allés chez la femme. Ils s'étaient assurés qu'elle ne savait rien. Ils s'en étaient assurés à fond. A un moment, Carlo avait forcé la femme à le battre. Elle n'avait pas aimé cela. Elle n'avait pas aimé le reste non plus. Mais lui, Carlo, ça lui avait bien plu.

D'une manière générale, même en remontant au début, au contrat Mouzon, on pouvait dire que les affaires passées avec le colonel Taylor avaient marché comme sur des roulettes, jusqu'au moment où ils étaient tombés sur ce con de Georges Gerfaut. Un cadre commercial, pourtant, c'est normalement très facile à tuer. Carlo et Bastien pouvaient faire des comparaisons, car ils avaient exercé leur industrie dans les couches les plus variées de la société. Maintenant ils commençaient à être en colère contre Georges Gerfaut.

Vers 13 h 30, Gerfaut se tapa des Francfort-frites dans une brasserie. Il faisait beau et clair mais on n'y voyait pas très loin à cause de la pollution atmosphérique. Les passantes étaient vêtues d'étoffes légères. Mais le reste, les voitures piétinant dans un nuage de gaz et de fip 514, les yeux cernés des gens qui se hâtaient, les tours de béton, le potin, la chair aqueuse et trafiquée des saucisses sous la dent de Gerfaut, tout cela, c'était la merde. Gerfaut aurait préféré un lieu où il pourrait voir autour de lui quelque chose qui ne soit pas son visage, où tout ne lui parlerait pas de lui-même, un paysage inanimé. Il regagna machinalement son appartement vers 15 h 15. Il fit de l'ordre, puis mit très fort de la musique – l'octette de Joe Newman avec Al Cohn – pendant qu'il jetait quelques affaires dans une petite valise. Presque aussitôt on sonna à sa porte d'une manière autoritaire et répétée. Gerfaut courut vers le canapé où il avait laissé la veste avec laquelle il était revenu de Saint-Georges. Il sortit le Star de la poche, ôta la sûreté et arma l'automatique. Il alla ouvrir la porte et bondit en arrière, l'automatique derrière son dos, le doigt sur la détente. La gardienne de l'immeuble poussa le battant au bout d'un instant et, l'œil sourcilleux, regarda Gerfaut qui avait trébuché et se tenait les pieds croisés, en équilibre sur les talons, un bras derrière le dos et s'appuyant au mur avec son autre coude.

– C'est vous, monsieur Gerfaut? fit-elle avec méfiance. Mais vous n'êtes pas en vacances?

– Hein? dit Gerfaut qui s'en alla à reculons dans le salon et au bout d'un instant la musique baissa sensiblement et l'homme n'avait plus une main derrière le dos quand il revint.

– Vous n'étiez pas en vacances?

– Ah si. Je suis revenu, dit Gerfaut. J'avais oublié quelque chose.

– Il faut m'excuser, dit la gardienne. J'étais dans l'escalier et j'ai entendu la musique. Je me suis dit qui diable ça peut-il être qui fait de la musique chez M. et Mme Gerfaut.

– C'est bien, dit Gerfaut, c'est gentil. Je veux dire, on se sent tranquille, vous faites bien votre travail de surveillance.

– On fait ce qu'on peut, on n'est pas des bœufs, déclara sentencieusement la gardienne. Il y a deux messieurs de votre entreprise qui ont demandé après vous, aussi.

– Deux messieurs, répéta Gerfaut sur un ton neutre et point interrogatif.

– Enfin, un monsieur, et l'autre attendait dans leur voiture. J'ai eu raison de donner votre adresse?

– Mon adresse, dit Gerfaut sans changer de ton.

– Au bord de la mer.

– Ah! s'écria Gerfaut. Oui, bien sûr! Un jeune homme brun et un grand type massif à cheveux blancs, hein? C'est ça?

– Le jeune homme en tout cas, oui. L'autre... (La gardienne fit un geste pour signifier qu'elle ne l'avait pas vu d'assez près pour en garder un souvenir précis.)

De l'épaule, Gerfaut s'était appuyé au mur. Il regardait dans le vide, au-dessus de la tête de la gardienne et il avait l'air de réfléchir ou de rêver. Son silence et son expression absente mirent la gardienne mal à l'aise.

– Eh bien, dit-elle, faut que j'y aille. Ça me fait

plaisir de bavarder avec vous mais j'ai pas qça à faire.

Depuis dix minutes, la Lancia était arrêtée sur un passage pour piétons à un peu moins de cent mètres de l'entrée de l'immeuble. Une femme sortit de l'immeuble. Elle tenait un airedale en laisse. L'airedale est un grand chien, mais moins que le bullmastiff. Cet airedale-ci faisait soixante centimètres et c'était un mâle, alors que le bull-mastiff Elizabeth d'Alonso faisait presque soixante-dix centimètres. La femme à l'airedale traversa la rue devant l'immeuble et monta avec son chien à bord d'une Datsun Cherry, en stationnement en face de l'immeuble. Elle démarra et s'en alla. Dès qu'il l'avait vue actionner son clignotant, Carlo avait démarré. Aussitôt que la femme fut partie, il se rangea à la place que la Datsun occupait auparavant. Il était seul dans la Lancia. Bastien guettait de l'intérieur d'un bistrot, en vue de l'entrée du parking, de l'autre côté de l'immeuble. Les deux tueurs avaient commencé par téléphoner chez Gerfaut à partir du bistrot. Au bout du fil, ça sonnait mais ça ne répondait pas.

– Tu vas voir qu'il est reparti rejoindre sa bonne femme, tiens, hé, Ducon! avait affirmé Carlo avec force.

Tout de même, il n'avait pas envie de se retaper six ou sept cents bornes pour aller vérifier. On s'accorda donc pour faire d'abord le guet. On verrait si Georges Gerfaut rentrait. Sinon, à la nuit tombée, on pénétrerait dans son appartement par acquit de conscience. Et s'il n'était pas là, on enverrait un télégramme bidon à Saint-Georges, pour dire à l'homme qu'il y avait une fuite d'eau chez lui, et qu'il veuille bien appeler son domicile aussi vite que possible. On passerait la nuit dans l'appartement. En période de vacances, Carlo et Bastien aimaient bien passer des nuits dans des appartements provisoirement inoccupés. C'était surtout Bastien qui aimait cela.

– On est des touristes, disait-il. Les appartements des gens, c'est comme des pays différents.

– Tais-toi donc, Ducon, lui répondait Carlo.

Bref, demain matin, s'il était avéré que Gerfaut était retourné à Saint-Georges-de-Didonne, on aviserait, on retournerait sans doute là-bas et l'on abattrait l'homme, vraisemblablement au fusil.

– Car, faisait valoir Carlo, j'en ai ras-le-cul de finasser.

« C'est un coup de dépression que j'ai, écrivit Gerfaut. Ça va se tasser, ne t'en fais pas. Je compte revenir par le chemin des écoliers, faire un peu de tourisme, passer par le Massif Central. » De nouveau il termina par des protestations d'amour. Il annonçait qu'il serait à Saint-Georges « d'ici trois jours, quatre au maximum ». Il cacheta la lettre, l'adressa à Béa et la timbra. Il descendit la poster. Carlo fut interloqué de le voir sortir de l'immeuble. Gerfaut avait la lettre à la main. Il fit cinquante mètres à pied, jusqu'à la boîte aux lettres au coin de l'immeuble, où il glissa l'enveloppe. Il revint vers l'immeuble et y rentra. Carlo démarra, fit le tour de l'immeuble aussi vite qu'il put et stoppa dans un grand bruit de freins devant le bistrot où se tenait Bastien. Gerfaut prit l'ascenseur dans le hall de l'immeuble et descendit au sous-sol. Il monta dans la Ford Taunus de location et démarra. Carlo faisait de grands gestes à l'adresse de Bastien. L'homme aux mèches livides posa cinq francs sur le comptoir et sortit du bistrot en hâte. La Ford Taunus vert bouteille, Gerfaut au volant, sortit du parking et s'engagea dans la circulation. Bastien monta à côté de Carlo. Ils prirent la Taunus en filature.

– Il me fait chier, ce mec, déclara Carlo d'une voix révoltée.

Il était 16 h 45. Gerfaut fila vers la porte d'Italie et enfila l'entrée de l'autoroute du sud.

– Mais où est-ce qu'il va, ce con? demanda Carlo avec fureur.

On était le 2 juillet. Il y avait encore des départs en vacances. La circulation était embouteillée et lente jusqu'à Orly. Ensuite elle devenait plus fluide, plus rapide et plus dangereuse. Gerfaut ne prit pas l'embranchement d'Orléans. Il continua dans la direction de Lyon.

– Mais alors, mais ça va pas, où est-ce qu'il va? demanda Carlo avec une véritable détresse dans l'intonation.

– Moi aussi, je suis d'accord avec toi, énonça Bastien. Je pense qu'on peut y aller.

– On peut y aller? Qu'est-ce que ça veut dire, ça, « on peut y aller »?

– Tu t'approches à sa hauteur, dit Bastien.

Carlo se calma instantanément. Il leva même

légèrement le pied. La distance qui séparait la Lancia de la Taunus se mit à croître, dépassa cinq cents mètres.

– Non, dit Carlo. Jamais sur l'autoroute. C'est un principe. Mon vieux, merde, c'est un vrai piège, une autoroute.

– Si on attend qu'on soye juste avant une sortie, suggéra l'homme aux mèches livides. On le bute et on sort tout de suite.

– C'est ça. Et à la sortie on tombe sur des motards. T'es vraiment un pauvre mec!

– Tu dis pas toujours ça!

– Oh je t'en prie, hein!

Bastien se tut.

Au moment où la nuit commençait à tomber, Gerfaut quitta brusquement l'autoroute. A cause de la lenteur de la circulation au voisinage de Paris, on n'était alors qu'aux abords de Mâcon. Les deux tueurs n'avaient pas dîné et Gerfaut non plus. La Taunus traversa Mâcon et piqua vers le sud-est. Il y avait un petit moment qu'elle avait allumé ses feux de position. La Lancia n'avait encore rien allumé du tout. Carlo penchait un peu le buste en avant et étrécissait les yeux. Il conduisait vite. La distance diminuait entre la Taunus et la Lancia. Un pneu de la Lancia éclata. La voiture italienne sinua d'un bord à l'autre de la route. Carlo se cramponnait au volant, les dents serrées, sans émettre un son. Bastien se cala la tête contre l'appuie-tête et croisa les bras devant son visage. Le pneu crevé, le pneu arrière gauche, se boursoufla et se déchiqueta. Sa température s'éleva très vite. Un nuage de fumée blanche jaillit derrière la Lancia, et une odeur de gomme brûlée. Enfin, comme Carlo passait en seconde, le véhicule mordit doucement sur le bas-côté droit, puis s'immobilisa sur une aire de stockage de gravier. Carlo et Bastien se précipitèrent hors de la voiture en jurant tout leur soûl, surtout Carlo. Ils sortirent le cric et la roue de secours. Au loin, les feux de position de la Taunus disparurent dans une courbe. Bastien prit une torche électrique dans le vide-poche et éclaira Carlo. Celui-ci changea la roue en une minute et quarante secondes.

– Laisse-moi le volant, dit Bastien.

Il prit le volant. Carlo sauta à bord à côté de lui. Ils rebouclèrent leur ceinture de sécurité et démarrèrent sans même faire gicler de gravier. Bastien était un conducteur très précis et scientifique. Il alluma ses feux de position, mit ses phares et conduisit aussi vite que possible. Dans certaines lignes droites, il monta à 160 km/h.

– On devrait le voir, dit Carlo.

On approchait d'une ville. On voyait les lumières se détacher contre le fond noir des préalpes qui bouchaient l'horizon. Sur la gauche un train de marchandises manœuvrait. Sur la droite se présenta une station-service petite et illuminée. La Taunus y était arrêtée devant les pompes. En bras de chemise, devant la voiture, Gerfaut se massait les reins en tirant sur une Gitane-filtre. Le pompiste était un jeune homme en casquette de toile rouge et en uniforme élégant. Le poste d'essence n'était pas ouvert depuis longtemps, de sorte que

les façons du pompiste et sa mise étaient impecca-
bles. Interloqué, Bastien bloqua le frein. La Lancia s'arrêta à la hauteur de la piste de sortie de la
station, dans un horrible hurlement de pneus.
Gerfaut tourna la tête et vit la Lancia et, par la
vitre avant droite, Carlo qui le regardait. Gerfaut
se précipita contre sa voiture, plongea le bras à
l'intérieur par la vitre ouverte et sortit le Star de
sa veste. Précipitamment et maladroitement, il ôta
la sûreté de l'automatique.

– Haut les mains! cria-t-il avec niaiserie.

La Lancia vira, quasiment sur place, et enfila à
contresens la piste de sortie. Elle bondit sur
Gerfaut. Il pressa la détente de l'automatique. Le
pare-brise de la Lancia explosa. En même temps
Gerfaut sautait en arrière, trébuchait et il atterrit
contre une machine à café et se meurtrit cruellement le dos. La voiture écarlate lui fonçait dessus
en tanguant. Gerfaut se sauva à toutes jambes. La
Lancia obliqua et accéléra de manière à écrabouil-
ler Gerfaut contre la vitrine du bureau. Gerfaut
pirouetta et le phare gauche de la Lancia le frappa
à la fesse et le catapulta sur le ventre sur le ciment
et la Lancia défonça entièrement la vitrine du
bureau. De grands morceaux de verre, des trous-
ses à outils, des bidons d'huile, des cartes, des
ampoules électriques et des figurines en lastex et
fil de fer dégringolèrent dans un affreux fracas.

Des graviers adhérant à son front et à ses joues,
le nez écorché, Gerfaut se retourna sur le dos. Sa
fesse lui faisait affreusement mal. Il avait laissé
échapper le Star. Il ne savait pas où l'arme était

tombée. Il se redressa sur les coudes et vit Carlo sortir de la voiture italienne, du côté opposé, avec le .45 S & W. Bastien fit marche arrière à toute vitesse, reculant vers le pompiste. Celui-ci abandonna sa pompe et se précipita vers le bureau. Carlo était sur le trajet du pompiste. Carlo braqua son revolver sur Gerfaut. Le pompiste baissa la tête et percuta Carlo et l'envoya valdinguer dans les débris de la vitrine et les bidons, les ampoules, les cartes, les figurines et le reste. Le réservoir de la Taunus était plein. La pompe automatique continuait d'y déverser du supercarburant à grande allure, et le supercarburant débordait sur le ciment et il en coulait une longue traînée en direction de Gerfaut.

Bastien sortit de la Lancia et tira dans le dos du pompiste avec l'automatique SIG. Le pompiste tomba sur la figure à l'entrée du bureau, ramena ses genoux sous lui et essaya de se redresser. Assis dans les débris de la vitrine, Carlo lui braqua à deux mains son .45 sur le côté de la figure et lui fit éclater la tête.

— Merde, merde, dit Carlo.

Gerfaut réussit à se lever. Il fit trois pas en direction de la Taunus et l'homme aux mèches livides lui tira dessus avec le SIG et la balle frappa Gerfaut au crâne et il tomba très sèchement sur le dos et son visage se couvrit de sang. Carlo se releva et courut à la Lancia. Il se mit au volant. Gerfaut remuait sur le ciment.

— Achève ce con! cria Carlo.

Bastien secoua la tête pour rejeter en arrière ses

mèches livides et se dirigea vers Gerfaut. Celui-ci sortit son Criquet de sa poche de chemise et mit le feu au supercarburant. Il se brûla cruellement la main et le bras. Le feu courut en un instant du briquet à la Taunus. Celle-ci s'embrasa du même mouvement. Gerfaut bondit sur ses pieds, stupéfait de tenir debout et de pouvoir courir. Il se précipita vers la route. Comme il s'engageait sur la chaussée, il lui sembla qu'on tirait encore sur lui. Puis le réservoir de la Taunus sauta et le souffle précipita Gerfaut de l'autre côté de la route où il s'abattit le nez dans une terre grasse et des feuilles de raves ou de pommes de terre. Il se releva encore et se retourna en poussant des cris incohérents. Il fut très saisi de voir le tueur aux mèches livides flamber comme un mannequin, allongé sur le ciment les bras en croix. La Lancia, toutes vitres brisées, pneus fumants, parut surgir des flammes, rebondit sur la chaussée. Gerfaut éperdu tourna le dos à l'incendie et se mit à courir à travers le champ en se tordant les chevilles dans la terre meuble. Il courait à l'aveuglette. Il allait vers les voies de chemin de fer.

12

Gerfaut reprit conscience à demi et ne sut pas s'il se trouvait chez lui à Paris, ou bien en villégiature, ou peut-être chez Liétard. Il était allongé sur un sol dur, dans un espace à peu près complètement obscur. Des fentes de lumière blême se voyaient aux parois. Un vacarme rythmique emplissait les oreilles du voyageur. Il rêva qu'il tirait sur un homme avec un pistolet automatique. Il était secoué rythmiquement. A la réflexion, il se trouvait dans un wagon de chemin de fer, un wagon de marchandises. Rasséréné, il se rendormit.

Ensuite la porte du wagon était très légèrement entrouverte, assez pour que l'intérieur fût visible. Entre des caisses sur lesquelles on avait peint au pochoir l'inscription HANDLE WITH CARE, un type était assis sur ses talons, face à Gerfaut. Le type avait une silhouette d'ours, ou d'un autre animal; un castor, peut-être. Il était entièrement enveloppé dans un imperméable en toile cirée sans manches, plutôt une capote, conçue pour protéger à la fois la tête et le dos d'un cycliste et ses jambes et le gros sac porté sur le dos. Le type en face de Gerfaut n'avait ni vélo ni sac. L'imper se boursouflait tout autour de lui comme un wigwam et rendait sa carrure inconnaissable. Le type portait aussi un chapeau melon vert d'usure. Il avait un visage assez jeune, mais ridé et mangé de barbe, malpropre, avec des dents pourries.

Gerfaut lui-même n'était pas beau à voir. De la boue et du sang séché maculaient son visage. Sa chemise était déchirée au coude et son pantalon au genou et à la fesse. Des pieds aux cheveux, l'homme était éclaboussé de boue. Ses chaussures étaient recouvertes d'une carapace de glaise. Dans ses cheveux s'ouvrait une déchirure rouge vif en forme de boutonnière, d'où un lambeau de cuir chevelu plein de poils et de caillots lui pendait sur le front.

— Etes-vous de la S.N.C.F.? demanda-t-il.

Le type ne réagit pas et continua de le regarder en riant ou bien c'était l'expression normale de son visage au repos. Gerfaut pensa répéter la question en criant, car le bruit du train toujours en marche avait peut-être empêché le type d'entendre. Mais non, ce n'était pas vraisemblable; et Gerfaut se sentait faible; il demeura silencieux. Brusquement il se mit à chercher dans ses poches. Sa main brûlée lui faisait mal. Tout son corps lui faisait mal. Ses mouvements devinrent frénétiques tandis qu'il continuait de fouiller ses poches. Il regarda le trimardeur avec une expression offusquée, d'incrédulité et de haine. Il fit un mouvement pour se lever. Le trimardeur se dressa dans le même instant, écarta un pan de sa capote de toile cirée et frappa Gerfaut sur le côté de la tête avec un marteau. Gerfaut tomba sur le plancher du wagon. De nouveau il eut la sensation de son propre sang lui dégoulinant sur la peau. Il n'arrivait pas à se redresser. Le trimardeur lui donna deux coups de pied dans les côtes. Gerfaut cria de rage, ses ongles griffant le plancher. Le trimardeur l'observait avec impassibilité ou amusement, impossible de savoir avec ce foutu rictus, la tête un peu penchée sous le melon, le bras droit un peu plié, un peu écarté du corps pour en écarter la capote cirée, prêt à taper encore sans être gêné. Puis il ouvrit un peu davantage la porte coulissante du wagon, de la main gauche, avec effort.

Gerfaut avait réussi à changer un peu de position. Du sang coulait lentement, suivant la ligne de sa mâchoire inférieure et dégouttant devant lui de son menton, tombant en étoiles devant lui sur le plancher poussiéreux. Les choses se passaient très lentement.

– Espèce de salaud, dit Gerfaut. Mon portefeuille. Mon argent. Mon chéquier.

Par la porte ouverte il voyait doucement défiler des cimes de conifères. Des mélèzes. La voie devait être surélevée, ou bien elle courait au flanc d'une pente raide, puisque des cimes de mélèzes défilaient à la hauteur de la porte. Le trimardeur rangea son marteau dans sa ceinture, saisit Gerfaut à deux mains par les aisselles, le tira et le poussa en avant (Gerfaut se mit à émettre des hurlements incrédules) et il le précipita hors du wagon. Le talon de Gerfaut cogna contre le bord de la porte, puis l'homme heurta le ballast, l'estomac le premier, et il eut le souffle coupé. Il rebondit et fit la galipette comme il avait fait dans l'eau quand on essayait de le noyer et il tomba entre les mélèzes, rebondissant et tourbillonnant sur la pente, sur une distance de quarante ou soixante mètres, ayant de nouveau perdu conscience, et il se cassa un pied.

13

En fin d'après-midi il se mit à pleuvoir. Gerfaut était alors éloigné de plusieurs kilomètres de la voie de chemin de fer.

Après qu'il était tombé, son état d'inconscience n'avait duré que quelques minutes. Il s'était redressé, s'étonnant de n'être pas mort. Au vrai il n'était pas étonné. Les événements de ces derniers jours, venant après une enfance confortable et une première jeunesse marquée par une ascension sociale réussie, l'avaient plus ou moins persuadé qu'il était indestructible. Mais dans la situation si improbable à quoi il avait accédé à force de rebondissements tellement aventureux, il lui paraissait convenable et exaltant de s'étonner d'être encore en vie. L'image qu'il avait de lui-même s'inspirait d'un roman policier lu dix ans auparavant, et d'un petit western baroque et métaphysique vu l'automne précédent au cinéma Olympic. Il en avait oublié les titres. Dans l'un, un homme laissé pour mort et hideusement défi-guré par un caïd du milieu exerçait ultérieurement contre le caïd et ses sbires une épouvantable vengeance. Dans l'autre, Richard Harris était semblablement laissé pour mort par John Huston, et survivait en pleine sauvagerie, dans la haine de Dieu et en disputant sa pitance aux loups.

Gerfaut frémit à la pensée de disputer sa pitance à des animaux féroces.

Ayant repris connaissance et s'étant redressé, tout d'abord il s'était adossé au tronc d'un mélèze et puis palpé avec un luxe de précautions inutiles. Son pied gauche le faisait souffrir. S'aidant du tronc, Gerfaut se mit debout. Son pied céda sous lui et il glissa de nouveau à terre en s'écorchant les paumes à l'écorce de l'arbre. A la seconde tentative les choses allèrent mieux. Il quitta le tronc à quoi il s'accotait et alla en quatre enjambées saccadées et hasardeuses en embrasser un autre, trois mètres plus loin. Il éprouvait une douleur aiguë dans le cou-de-pied mais curieusement elle paraissait s'atténuer plutôt, quand il marchait. Son pied tendait à se tordre douloureusement sous lui. De tronc en tronc, il progressa cependant avec une relative aisance.

La pente l'aidait. D'abord il avait voulu revenir vers la voie de chemin de fer, dans l'intention de faire signe au prochain convoi qui passerait, ou peut-être suivre les rails jusqu'à la gare la plus proche. Il avait dû renoncer à gravir le terrain très incliné. Alors il descendait. Plus on descend, plus on a des chances de trouver des habitations; schématiquement.

De tronc en tronc, il traversait de biais un

terrain pentu où poussaient une herbe fine et sombre, et des mousses, et parfois un peu d'androsace, de silène, de joubarbe. Les aiguilles de mélèze étaient glissantes et des ravines fréquentes de terre rougeâtre parsemée de caillasse gênaient aussi l'avancement. Gerfaut tomba souvent. Pour aller dans la direction qu'il avait choisie, il lui fallait mettre son pied blessé en aval; c'était très malcommode.

L'air était vif. La forêt était parcourue de brises chuchotantes et guillerettes. Des oiseaux peu nombreux circulaient à mi-hauteur de la futaie, par trajets brefs et précis. Entre les cimes vert pistache, une fois qu'il leva la tête, Gerfaut aperçut un oiseau plus gros qui planait contre le ciel devenu gris. Sur ces entrefaites, l'homme se cassa la gueule une nouvelle fois et dévala une ravine sur les fesses, en rebondissant et en jurant. A l'arrivée il se heurta brutalement la cheville à des racines et faillit pleurer. Il se redressa encore une fois et, voyant où sa glissade l'avait mené, se crut foutu.

A force de descendre, en effet, il avait atteint le fond d'une petite combe boueuse, pleine de débris végétaux à divers stades de la décomposition. S'il y avait des sangliers à cette altitude, ce dont Gerfaut doutait, le lieu était une bauge. En tout cas, si l'homme voulait avancer, dans n'importe quelle direction il lui fallait monter.

Il fit plusieurs essais infructueux ponctués de chutes ridicules et douloureuses. L'idée lui vint enfin de ramper en crochant dans la terre avec ses doigts. Il franchit une courte pente et accéda à une zone de terrain tout bouleversé, très décourageante. Ce n'étaient qu'abrupts ressauts, affleurements de granit, entrelacs de troncs abattus par la foudre ou les avalanches, surplombs vertigineux. Plastiquement, c'était fort romantique. Du point de vue de Gerfaut c'était la merde totale.

Il avait poursuivi son avance à plat ventre, avec une énergie qui déclinait. Le ciel noircissait là-haut. Enfin il se mit à pleuvoir.

Il plut longtemps et fort. Une eau jaune dévala les ravines rouges. Gerfaut se traîna jusqu'à un chaos d'arbres déracinés. Il se pelotonna et releva le col de sa chemise. L'eau coulait entre les troncs, elle humecta ses habits. Il faisait froid. Gerfaut se mit à pleurer doucement. La nuit tomba.

A l'aube du lendemain, l'homme dormait depuis peu. L'angoisse, la délectation morose et la misère l'avaient tenu éveillé longtemps. Des averses s'étaient succédé à de brefs intervalles. Entre deux chutes de pluie, l'eau continuait de courir sur la pente, de dégoutter des branchages, de dégouliner à l'intérieur de l'abattis et de tremper Gerfaut. Quand il rouvrit les yeux, il lui sembla qu'il les avait à peine fermés. Il claquait des dents. Son front sale était brûlant. Il tâta son pied blessé et le trouva grossi et plus douloureux que la veille. Il ôta avec difficulté sa chaussure de ville encroûtée de boue. Sa chaussette de fil se déchira au talon et sur le cou-de-pied quand il l'enleva. Gerfaut considéra avec une satisfaction mauvaise les chairs enflées et mauves, et la saillie considérable, malsaine et durcie, qu'elles faisaient sur l'avant et de côté. Il ne put remettre sa chaussure, même après en avoir arraché le lacet qu'il jeta de toutes ses forces loin de lui et qui atterrit dans la boue à moins de deux mètres de distance. Il voulut consulter sa montre Lip, achetée aux grévistes et qui marchait mal, et constata qu'il ne l'avait plus. Il se rappela avoir déjà fait cette constatation la veille, un peu après qu'il était tombé du train.

Les nuages ne formaient plus une voûte uniforme et sombre. Ils avaient perdu de l'altitude et s'étaient déchirés contre la montagne. Gerfaut en vit qui passaient plus bas que lui, blancs et mous, et se crut à deux ou trois mille mètres. Il quitta l'abattis à quatre pattes. Pendant cinq ou six minutes il se déplaça avec furie, insensible à la douleur. Il grognait comme un animal, non sans complaisance.

Cet effort bref l'épuisa complètement. Désormais il observa de longues pauses pantelantes, entre lesquelles il progressait de cinq ou six mètres. Le temps s'était mis au beau. Par ici les mélèzes étaient plus clairsemés. Le soleil brillait comme un fou. De la vapeur s'élevait entre les arbres. Une abondance d'insectes voleta. Il fit bientôt chaud. Gerfaut brûlait de fièvre. Toute l'affaire avait cessé de lui paraître romanesque.

Comme la journée s'écoulait sans apporter le moindre élément nouveau, l'homme devint franchement sérieux. Il échafauda des plans pour survivre longtemps seul. Il fit l'inventaire de ses possessions, qui se réduisaient à un mouchoir souillé, les clés de son appartement de Paris, un bout de papier quadrillé où était noté le numéro de téléphone des laboratoires L.T.C. à Saint-Cloud, et six Gitanes-filtre détrempées dans un paquet à moitié écrasé. Pas de briquet, rien pour faire du feu, pas d'armes, rien à manger. Cependant Gerfaut trouva son second souffle. Il atteignit la basse branche à demi brisée d'un arbre, acheva de l'arracher et l'utilisa en guise de béquille. Il parvint à reprendre la progression debout et atteignit la vitesse de 4 km/h. Il envisagea et rejeta l'idée de repérer des abeilles qui butinaient, de les suivre, atteindre la ruche, chasser l'essaim d'une manière ou d'une autre et bouffer le miel. Il lui parut qu'il subirait d'innombrables piqûres et serait définitivement mis hors de combat, si même il n'en crevait pas. De toute façon, il n'y avait pas d'abeilles.

Par acquit de conscience, il goûta beaucoup des végétaux qu'il rencontrait et qui pouvaient se révéler mangeables. Mais tout était cotonneux ou bien très amer.

Une fois, assis sur le sol, Gerfaut jeta en l'air un petit morceau de granit dans l'espoir de casser la tête d'un oiseau brun tacheté qui se cramponnait à un tronc et le becquetait. Il manqua de loin son objectif et la bestiole ne fut même pas effrayée. Gerfaut ne fit pas d'autre tentative.

Le soleil avait baissé, il devait être quelque chose comme 5 ou 6 heures du soir quand Gerfaut, toujours debout mais dont la vitesse était tombée à moins de 2 km/h, déboucha dans une prairie. Il en avait déjà traversé deux ou trois, mais elles étaient de petites dimensions; les foutus mélèzes s'interrompaient sur trente, cinquante mètres au maximum; ils continuaient de boucher la vue. C'était différent à présent : avant même d'avoir atteint la lisière, Gerfaut vit entre les troncs l'herbe fine qui courait sur plus de cent mètres, jusqu'à une croupe. Au-delà, alentour, on avait vue sur une vallée en auge, entourée de grosses bosses boisées et qui se refermait à huit ou dix kilomètres de distance, par un col bas. Sur un versant de la vallée s'apercevait une zone où la forêt était en coupe. Plus haut, là où les arbres cessaient, une tache claire semblait être un refuge d'excursionnistes, ou une vacherie.

Gerfaut perdit aussitôt l'impression d'être paumé au milieu de milliers de kilomètres de sauvagerie. Il se hâta vers la croupe qui cachait à sa vue le fond de la vallée. A mesure qu'il avançait, il s'émerveillait de distinguer des sentiers, d'autres secteurs de bois en coupe, d'autres vacheries sur les crêtes.

Il atteignit l'extrémité de la prairie et un grognement réjoui monta de sa gorge. Il apercevait à ses pieds un petit lac bleu foncé et une bourgade assez considérable, plus de deux douzaines de bâtiments couverts en ardoise, des enclos, des murets, des chemins, et d'autres traces assez rectilignes, et scintillantes, qui devaient être des espèces de gouttières géantes canalisant la flotte venue des cimes. Gerfaut avait très soif. Il s'étendit lentement et lourdement sur le ventre pour lécher l'herbe et contempler le salut.

Il lui fallut une bonne minute pour concevoir qu'il n'était pas sorti de l'auberge et estimer la distance qui le séparait du fond de la vallée. A vol d'oiseau, peut-être un ou deux kilomètres. A pied, peut-être cinq ou dix fois plus.

Très agacé, il se reposa un moment. Puis il eut peur de s'endormir et de mourir là. Il se releva en se cramponnant à son espèce de béquille. Il reprit sa route. Pour continuer de descendre en direction de la bourgade, il dut pénétrer de nouveau sous le couvert. Le village disparut. Au bout d'un quart d'heure de déplacement hésitant, Gerfaut sentait des bouffées d'angoisse serrer sa gorge et son estomac vide à l'idée qu'il ne trouverait jamais le village ou qu'il lui faudrait une semaine de marche pour l'atteindre.

La nuit tomba, la seconde depuis qu'on l'avait jeté du train. Il tenta de poursuivre son chemin dans l'obscurité. Il se cognait aux arbres et pleurait. Après deux chutes, il renonça. Il était bien fatigué. Il s'endormit instantanément. Au matin, il fut découvert par un bûcheron portugais.

14

A deux heures du matin sur R.T.L., pendant
que Gerfaut dormait d'un sommeil comateux, on
annonça que la Taunus avait été identifiée, qu'elle
avait été louée le jour même du drame par un
certain Georges Gerfaut, un cadre parisien, qui
avait disparu depuis. On se rappelait, dit-on,
qu'un gérant de station-service et un autre homme
dont l'identité demeurait inconnue avaient été
tués le soir du 2 juillet. Le présentateur avait une
voix neutre et discrète, comme il a toujours, les
nuits, sur R.T.L. Sur le même ton il parla du
Proche-Orient, d'un attentat contre l'ambassade
de Yougoslavie à Paris, d'une baignade tragique
dans la Loire (deux enfants d'une colonie de
vacances, et un prêtre qui les gardait et avait tenté
de les sauver, avaient péri). Puis il y eut de la
publicité pour un concert organisé par R.T.L.
Puis il y eut l'indicatif de l'émission et on entendit
du Leonard Cohen.

Il faisait chaud. Vêtu seulement d'un grand
caleçon blanc en forme de short, et de socquettes

blanches, Carlo était assis à la table dans une chambre de l'hôtel P.L.M.-Saint-Jacques. Il avait les traits tirés et les yeux rouges, comme un homme qui a beaucoup pleuré. Il se tenait immobile et il n'eut pas de réaction pendant la lecture du bulletin d'informations. En même temps, cramponné à la table, il faisait des exercices de musculation isométriques.

Après l'incendie de la station-service et la mort de Bastien, Carlo avait roulé au hasard, complètement affolé et malade de rage et de chagrin. Arrivant aux abords de Bourg-en-Bresse, il s'était arrêté pour poser un pare-brise de secours, une feuille de plastique souple maintenue par des pinces. Il avait réfléchi et consulté des cartes. Il avait repris le chemin de Paris, en évitant de repasser devant le poste d'essence, où ça devait présentement grouiller de pompiers et de flics. Il avait rejoint l'autoroute et roulé sur la voie de droite sans jamais dépasser 70 km/h. Il avait quitté l'autoroute à Achères-la-Forêt vers 5 heures du matin. Quelque part dans la forêt de Fontainebleau, il avait quitté la route et s'était garé à couvert. Ne pouvant enterrer le corps de Bastien comme il aurait voulu, il avait sorti ses affaires personnelles de sa cantine métallique et les avait enterrées, la cordelette en nylon, la trousse de toilette, les vêtements. La vue du slip de rechange kaki de Bastien l'avait ému aux larmes. Les larmes ruisselaient sur ses joues tandis qu'il achevait d'enterrer les choses et qu'il piétinait la terre meuble pour l'égaliser. Il avait cherché ensuite les mots qu'il pourrait dire au-dessus de la pseudo-tombe en guise d'oraison funèbre. Ile ne se rappelait aucune prière sauf le Notre Père. Sur le plancher de la Lancia, il retrouva un numéro de *Spiderman*, l'homme-araignée (qu'il ne faut pas confondre avec l'Araignée dont les aventures paraissent dans *Strange*). Le visage de Carlo s'éclaira. Il revint vers le tombeau en ouvrant le fascicule et se mit à lire avec componction le texte de la page de garde qui est toujours le même et précède chaque aventure de Spiderman.

— Avant de devenir un redresseur de torts et un justicier sans pitié, lut-il, Spiderman, l'homme-araignée, régna des années durant sur la pègre des Etats-Unis et fut un véritable empereur du crime. Spiderman a mis lui-même au point un génial équipement qui lui permet de tenir front à n'importe quel gang de criminels. L'homme-araignée s'est également assuré la collaboration de deux savants, les Professeurs Pelham et Erichstein. Il dispose ainsi de multiples moyens techniques que le cerveau humain a peine à imaginer.

Carlo baissa la tête, ferma le fascicule et se recueillit un instant.

— Amen, dit-il. Ainsi soit-il. Je te vengerai, j'en fais serment. Je crèverai le cul de ce con. *Ite missa est*.

Il regagna la Lancia, repartit, reprit la route. Il rentra sur Paris par les banlieues, sans se presser, en s'arrêtant dans un bistrot de Viroflay pour boire du café et dévorer six croissants. Le café ruisselait sur son menton quand il mordait dans les croissants.

A 9 heures, dans un garage qu'il connaissait, aux confins de Meudon et d'Issy-les-Moulineaux, Carlo vendit la Lancia. Il aurait pu la faire réparer aisément, les dégâts étaient peu considérables. Mais il préférait la vendre à perte, il ne voulait plus voir cette auto qui lui rappelait trop sa vie avec Bastien, leur association heureuse. Sur l'heure il acheta un simple coupé Peugeot 504 de 1973, développant 110 cv à 5 600 tours/minute et montant à 175 km/h en cas de besoin, et un jeu de papiers plus vrais que nature au nom d'Edmond Bron.

Ensuite il avait regagné Paris, en passant sans le savoir devant le magasin de photo que Liétard tient près de la mairie d'Issy, et il s'était installé à l'hôtel P.L.M.-Saint-Jacques. Il n'en avait pas bougé depuis. Il y dormait, il y mangeait, il descendit une fois voir un film au cinéma qui se trouve au bas de l'immeuble, il faisait dans sa chambre des exercices de musculation, isométriques ou autres, surtout il y portait le deuil de Bastien. Il attendait que les choses se tassassent.

15

Au vrai, c'était tout un campement de bûcherons portugais qui se trouvait à moins de cinquante mètres de Gerfaut lorsque celui-ci s'était arrêté et endormi. Quelques pas encore et peut-être serait-il tombé sur eux; mais il pouvait aussi bien les dépasser dans la nuit sans les voir.

Le Portugais qui repéra Gerfaut s'était à peine écarté du campement, vers 5 h 45, pour pisser ou dans tout autre but. L'homme était grand, robuste, noiraud, le teint mat, de grandes dents jaunes, un pantalon gris sombre à chevrons et un pull jacquard trop petit reprisé aux coudes et de mauvaise qualité : initialement blanc avec des dessins rouges, il s'était coloré de rose pisseux à force de lavages. Le Portugais avait sur la tête un grand béret noir. Il vint considérer Gerfaut qui ouvrit les yeux au même moment et lui rendit son regard.

— Bonj'rr! fit le Portugais en martelant maladroitement les syllabes et il se lécha les lèvres et sourit.

Gerfaut répondit au salut et essaya de se lever. Il retomba. Il se sentait extrêmement faible, malade et fatigué.

— A boire, grogna-t-il.

— Ah oui, dit le Portugais. Dormir toute la nuit, hon? (Il désigna le sol.) Très froin.

— Quoi?

— Froin! Très froin! Pas chaud, précisa-t-il comme Gerfaut semblait affolé. Vinho, hon?

— Vino, si, fit Gerfaut en hochant vigoureusement. Habla Español? (Le bucheron eut un geste vague.) Yo : perdido. Muy malo. Froid. (Oui, froin, commenta l'autre.) Atchoum, dit Gerfaut dans une intention explicative et il fit un geste pour symboliser une bronchite, ce qui n'est pas si difficile qu'on croirait.

Le Portugais l'aida à se lever et à aller jusqu'au campement. Sur le trajet, Gerfaut, toujours persuadé que son interlocuteur comprenait l'espagnol, accumula inutilement des exclamations genre *Que mala suerte* et *Que barbaridad* en désignant son pied enflé et son front encroûté de sang.

Les bûcherons étaient huit. Ils campaient sous une grande bâche montée sur des pieux. Ils avaient des couvertures dégueulasses et des matelas de rameaux et de feuilles. Ils disposaient de pain rassis, d'un peu de vin d'Algérie, de fromage, de mauvais café, de plusieurs grands sacs de légumes secs et de trois revues pleines d'illustrations photographiques obscènes. Ils étaient équipés de haches et de scies et de deux tronçonneuses

104

Homelite. Ils séjournaient illégalement en France, n'avaient aucune sorte de sécurité sociale et touchaient un peu plus de la moitié du S.M.I.C. pour un travail de soixante à soixante-dix heures par semaine. Ils donnèrent à Gerfaut du pain et de la soupe aux pois, puis deux cachets d'aspirine dans du vin. Ils ne savaient que faire de lui. Comme il grelottait et suait terriblement, ils le roulèrent dans deux couvertures qui sentaient mauvais.

– Quelqu'un va venir, dit à Gerfaut celui des bûcherons qui parlait le mieux le français.

Puis ils prirent leurs haches, leurs scies et leurs tronçonneuses et s'éloignèrent entre les arbres. La lumière du matin était assez belle, pour ceux qui aiment ça. Bronchite ou pas, pied enflé ou non, Gerfaut peut-être aurait été capable physiquement de reprendre sa route vers le fond de la vallée, et il songea à le faire après que les bûcherons furent partis depuis plus de deux heures. Mais sa fibre morale était brisée pour le moment, depuis qu'on l'avait trouvé, qu'on s'était occupé de lui.

En attendant l'heure du déjeuner, tendant l'oreille pour saisir le bruit lointain des tronçonneuses et incapable de déterminer si c'était bien ce qu'il entendait, ou bien si c'était le vent dans les arbres, il se traîna sur le sol et s'empara des revues graveleuses. Le texte était en anglais, et fort pauvre des points de vue littéraire et même fantasmatique. Quant aux photographies, elles représentaient des femmes très charnues, au visage vulgaire et brutal. Les goûts de Gerfaut le portaient vers davantage de sophistication, vers des femmes filiformes aux joues creuses, dans la mesure où ils le portaient vers quoi que ce fût. Il lut le courrier des lecteurs. Un seul grand débat animait ces colonnes et opposait les amateurs de gros seins aux amateurs de gros derrières. Il parut à Gerfaut que c'était un faux débat. Il s'emmerdait terriblement.

Vers 10 h 30 il avait rejeté loin de lui les revues et se sentait infiniment misérable et malade, presque mourant, quand un des Portugais réapparut, accompagné d'un vieillard à chapeau. Le vieillard avait de longs cheveux blancs tombant sur ses épaules, sur sa veste de velours marron à grosses côtes. Il salua Gerfaut d'un grognement et s'agenouilla près de lui. Il rejeta les couvertures qui emmitouflaient le malade, lui retroussa sa jambe de pantalon gauche, examina et palpa longuement le pied blessé.

– Vous parlez français? Qui êtes-vous? demanda vainement Gerfaut.

Le vieux continuait à palper avec un air concentré de porc truffier.

– Mais dites-moi au moins! s'écria faiblement Gerfaut saisi d'inquiétude et de confusion. Je suis en France, oui? Ce sont les Alpes, non?

Le vieux crocha dans les chairs enflammées et exerça une poussée vigoureuse et torse. Gerfaut poussa un hurlement. Des larmes jaillirent entre ses paupières serrées, giclèrent sur son mufle sale et barbu, ses dents découvertes grincèrent. Il décolla les coudes du sol pour toucher sa cheville. Le vieux le repoussa en arrière. Gerfaut tomba sur le dos, tout à fait allongé. En même temps le vieux sortait de la poche de sa veste une boîte métallique à Nescafé qu'il ouvrit; elle contenait une pâte visqueuse et jaune; Gerfaut estima que c'était de la graisse pour essieu. Le vieux en saisit à pleine main et l'étala sur le cou-de-pied de Gerfaut, qu'il se mit à masser énergiquement.

– Oui, que vous êtes dans les Alpes, dit-il. Oui que vous êtes en France. Cette idée! Vous êtes dans la Vanoise, oui.

– Vous êtes un rebouteux.

– J'aime point le mot. Je suis infirmier militaire. Qu'est-ce qui vous est donc arrivé? Touriste, hein? Faut pas courir par monts et par vaux quand on a le pied faible. (Il enveloppa le cou-de-pied de Gerfaut dans un carré de toile et se mit à enrouler une bande Velpeau autour.)

– Je suis tombé d'un train.

– J'ai remis les os en place, dit le vieux. Je suis le caporal Raguse. Quel train? Quel est votre nom?

– Georges, dit Gerfaut. Georges Sorel, dit-il précipitamment. Je suis tombé d'un train de marchandises, l'autre nuit. Je suis un vagabond. Vous comprenez? Un chemineau. Pas un cheminot de la S.N.C.F., un chemineau qui chemine, un vagabond, quoi. (L'effort l'avait essoufflé.)

Le caporal Raguse se redressa, s'essuyant les mains à un mouchoir à carreaux violets. Il se mit à ranger dans ses poches tout ce qu'il en avait sorti, la boîte d'onguent et les emballages du carré de toile et de la bande Velpeau qui étaient d'autres boîtes métalliques, oblongues et plates, et oxydées, avec des couvercles à charnière.

– Faut pas que vous bougiez du tout jusqu'à demain. Les Portugais s'occuperont de vous. Ils sont braves. Demain matin, je viendrai avec un mulet.

– Encore une nuit ici? Mais je suis malade, dit Gerfaut.

– Mais non, dit Raguse. Buvez du vin.

– Je n'ai pas d'argent.

– Je ne fais pas ça pour l'argent, dit le vieux. Je fais ça pour secourir mon prochain.

16

Le caporal Raguse n'était plus militaire depuis longtemps et d'ailleurs n'avait jamais été caporal. C'était tout juste s'il avait fait la guerre. Trop jeune lors du premier conflit mondial, il était déjà presque trop vieux pour le second. Il avait acquis quelques capacités d'infirmier et de muletier en attendant pendant six mois une improbable attaque italienne. Il n'avait fait le coup de feu que pendant l'occupation allemande, et encore, pas souvent contre des hommes. La chambre chaulée où il logea Gerfaut, après l'être allé chercher avec un mulet, s'ornait bizarrement d'un portrait de Staline et d'un autre de Louis Pasteur (ce dernier était en réalité une photographie de Sacha Guitry interprétant le rôle de Pasteur au cinéma.) Gerfaut y resta étendu une semaine. Il y lut l'almanach Vermot, la *Vie des fourmis* de Maeterlinck et l'étonnante autobiographie d'un certain père Bourbaki, missionnaire et aviateur. L'imagination de Gerfaut fut frappée spécialement par les pages où le curé sanguinaire, entre deux tueries d'Alboches, essaie de résoudre le problème que lui pose son fanion. Ce fanion, tricolore et orné du sacré-cœur de Jésus, se déchire tout le temps à cause de la vitesse, accroché qu'il est dans les haubans de l'aéroplane du ratichon-guerrier. Le mica fournira une heureuse solution. Le reste du livre, plein de nègres lépreux, est fastidieux.

Raguse avait posé à Gerfaut un plâtre, et les premiers jours il lui apportait à manger : les matins, du café clairet, du fromage frais et un alcool épouvantable, à base de fruits pourris, surtout des poires et coings, que l'ancien infirmier distillait lui-même; midi et soir de la soupe et du pain, du saucisson parsemé d'énormes yeux de graisse rance, du fromage, parfois des maquereaux au vin blanc dans des boîtes à conserves longues et étroites, et un vin rouge acide et clair.

— Faut bouffer, Sorel, disait le caporal. Faut être fort. Faut régénérer vos tissus.

Au bout de peu de temps, Gerfaut put clopiner de sa chambre à la table de la salle commune. La maison Raguse, plantée à flanc de pente à l'écart du village, était construite en pierres empilées sans mortier, couverte en ardoise. A l'intérieur, un crépi de boue et de sable était chaulé. De gros morceaux de granit posés sur les ardoises de la toiture les empêchaient de se faire la malle par grand vent. Il n'y avait pas d'étage à proprement parler mais à cause de la pente il y avait place sous la maison pour un cellier et une étable ouvrant sur l'aval, où Raguse logeait ses bouteilles, ses provisions, son alambic et son mulet. Au-dessus, la salle commune avec un âtre très grand et un évier de basalte, et deux chambres. Les pièces avaient de petites fenêtres avec de petits carreaux et de petits volets de bois avec une perforation en forme de cœur.

– J'ai tout de suite vu que t'es pas un vrai chemineau, dit Raguse la bouche pleine de fromage en leur versant du vin. (Dans cet instant ils étaient attablés pour déjeuner. La table massive est vernie de crasse. Des braises sifflaient dans l'âtre. Gerfaut avait le bas du visage couvert d'une barbe blonde inculte. Sa jambe blessée demeurait faible. Dans ses cheveux blonds, la blessure était cicatrisée, mais son emplacement restera marqué jusqu'à la mort de Gerfaut par une boutonnière de poils blancs.)

– J'ai plaqué ma femme, dit Gerfaut. Voilà, oui. C'est cela que j'ai fait.

– Je ne te demande rien. Viens avec moi.

La bouche encore pleine de fromage, son feutre sur sa tête, le vieux se leva en grognant, referma son Opinel avec un bruit de guillotine et le fourra dans sa poche de veste. Il alla vers sa chambre. Gerfaut interloqué s'était levé aussi et vidait vivement son verre.

– Tu sais tirer, Sorel?

– Hein?

– Tirer, répéta Raguse en franchissant le seuil.

Gerfaut le suivit dans la chambre. C'était la première fois qu'il entrait dans la pièce de Raguse.

Elle n'était guère différente de celle qu'occupait Gerfaut. Vieux meubles, lit de fer. Un calendrier des postes illustré d'une vue des Champs-Elysées la nuit. Sur une tablette, un cadre antiparasites (mais nulle part dans la maison il n'y avait de poste de radio) orné d'un portrait hideusement colorié de Martine Carol. Un grand coffre. Une armoire. Un râtelier d'armes où se trouvaient un superposé Falcor, un Charlin et une carabine Weatherby Mark V avec une lunette Imperial. Raguse décrocha la Weatherby.

— On va bien voir, dit-il.

— Je ne suis pas un gangster en fuite, si c'est ce que vous avez en tête, dit Gerfaut.

— Je sais, mon gars.

Raguse avait ouvert le coffre; il y avait pris des munitions; il chargeait la carabine. Quand il eut fini, il plongea de nouveau la main dans le coffre où se voyaient des étoffes pliées, des boîtes oxydées, des étuis, des outils, et il en retira des jumelles. On sortit de la chambre et puis de la maison. Gerfaut clopinait dans son plâtre. Le soleil lui fit tourner la tête. Raguse fit quelques pas et désigna la pente d'herbe qui montait derrière la maison, vers la forêt. Il plissait les paupières. Ses yeux noirs disparaissaient presque entièrement dans les replis de chair. Son visage avait pris une expression maussade et douloureuse.

— Il doit y avoir une boîte de petits pois sur un piquet, à cent mètres d'ici. Tu la vois, mon gars?

— Non. Ah, si, peut-être...

112

Raguse mit la carabine dans les mains de Gerfaut.

– Fais attention qu'il n'y a personne autour, et puis tire dessus.

Le vieux porta ses jumelles à ses yeux. Il ne s'occupait plus de Gerfaut. Guère à l'aise, celui-ci épaula avec maladresse. Dans la lunette, il vit clairement la boîte à petits pois, une fois qu'il eut réussi à la mettre dans le champ de l'instrument. Il tâcha de viser bien. Il pressa la détente et il ne se passa rien parce que Gerfaut n'avait pas ôté la sûreté. Il l'ôta et fit un autre essai. Le coup partit et Gerfaut manqua la boîte à conserve et ne vit même pas son impact.

– C'est ridicule, déclara Raguse sans décoller les jumelles de sa figure. Pense que tu tires sur quelque chose que t'as envie, mon gars. Une bête ou ce que tu voudras. Un bonhomme.

Gerfaut actionna la culasse, les yeux au sol, éjectant à tort une cartouche neuve. Il épaula doucement, bloqua sa respiration et fit un grand trou dans la boîte de petits pois à cent mètres de là.

On rentra dans la maison.

– Belle arme, dit poliment Gerfaut en rendant la Weatherby au vieux pour qu'il la nettoie et la range.

– Je te crois! cria le vieux. Ça vaut des mille et des cents. C'est un Allemand qui me l'a donnée, il y a douze ans. Je lui avais plus ou moins sauvé la vie. Un chasseur. Je l'ai récupéré avec une jambe

113

en capilotade, un peu comme toi, mais en altitude.

– Bientôt, dit Gerfaut, il va falloir que je parte d'ici.

Raguse le regarda vivement.

– Je n'ai pas besoin de paiement. J'ai tout ce qu'il me faut. Ma petite-fille m'envoie de l'argent tous les mois, je ne le dépense même pas, je le mets à la caisse d'épargne à Saint-Jean. Je n'ai besoin de rien, répéta Raguse. Tu vois, mon gars, si tu penses que tu dois partir pour gagner de l'argent et me payer de mes peines, tu t'es mépris.

– Je ne peux pas passer ma vie ici.

– Jusqu'à ce que j'enlève ton plâtre, t'es aussi bien ici qu'ailleurs. Ensuite, si tu te trouves pas bien...

– Mais si, dit Gerfaut, je me trouve très bien.

– Tu peux rendre des services, dit Raguse avec énergie. Tu as déjà chassé?

Gerfaut secoua la tête. Raguse replaça la carabine au râtelier et referma son coffre. Ils retournèrent dans la salle commune.

– C'est mon seul plaisir, dit Raguse. (Son visage prit une expression sournoise et puérile.) Le parc de la Vanoise, je l'emmerde, déclara-t-il avec contentement. Mais je ne vois plus bien clair. Quand je t'aurai enlevé ton plâtre, peut-être tu pourras me rendre des services, on pourrait chasser ensemble, tu seras mes yeux de rechange, comme qui dirait.

– Pourquoi pas? dit Gerfaut avec un sourire

affable ou bien de dérision ou bien débile. Pourquoi pas? J'ai perdu mon utilité, ma fonction, et la boussole; je peux bien être yeux de rechange.

Cette nuit-là il fit des cauchemars dans lesquels apparurent Béa et les fillettes, et les deux tueurs dans leur voiture rouge, et le baron Frankenstein qui transportait des bocaux d'yeux de rechange.

Début septembre le plâtre de Gerfaut s'en allait de lui-même en morceaux. Raguse acheva de l'ôter. Gerfaut fut soulagé de pouvoir enfin se gratter le pied. Il continuait de boiter un peu et le vieux dit d'un air bougon que ça ne s'arrangerait pas, et Gerfaut dit qu'il s'en foutait. Raguse fouilla dans son coffre et feuilleta des manuels graisseux dont le brochage partait en petits morceaux feutrés, avec des illustrations anatomiques sur lesquelles on voyait des hommes à moustache. Il donna à Gerfaut un programme de mouvements de gymnastique à accomplir chaque jour pour réduire un peu sa boiterie et éviter surtout qu'en résulte une déformation de la colonne vertébrale et d'autres os.

Gerfaut se rendait utile en faisant de petites courses au village, lorsqu'il fallait par exemple se fournir en tabac, en papier Riz la Croix ou en pétrole. Chez le buraliste, il lui arrivait parfois de feuilleter le *Dauphiné Libéré* pour se tenir au courant des affaires du monde. Des compétitions sportives battaient leur plein. Emeutes, famines, inondations, épidémies, attentats, révolutions de palais et guerres locales se succédaient dans le Tiers Monde. En Occident l'économie fonction-

115

nait mal, les cas de folie étaient nombreux, les classes sociales luttaient les unes contre les autres. Le pape condamnait l'esprit de jouissance de l'époque.

Après une brève période de curiosité légitime, les habitants du village, vieux pour la plupart et moins nombreux que les maisons, s'étaient satisfaits de quelques demi-mensonges et ne posaient plus de questions à Gerfaut. Par le passé, le caporal Raguse avait recueilli des animaux blessés, hébergé des randonneurs, permis à des campeurs britanniques de s'installer dans la prairie derrière chez lui. Gerfaut était une de ses trouvailles, un demi-vagabond taciturne et un peu simple, mais serviable, qui prêtait la main au vieux. Il aida même à pousser la voiture des gendarmes, une fois qu'elle était montée jusqu'ici et qu'une pluie d'automne l'avait embourbée. Un autre jour, ayant payé une tournée chez le buraliste, il dit qu'il avait eu des malheurs, qu'il avait été abandonné par sa femme, qu'il était naguère directeur dans une grande entreprise, puis qu'il avait tout quitté comme font des tas de gens, paraît-il, en Amérique, et ils deviennent des dropahoutes.

– Un dropahoute, dit-il. Voilà! C'est exactement moi! Santé! (Et il vida son godet.)

Pendant l'automne Raguse commença d'entraîner Gerfaut dans des courses en montagne, de plus en plus longues. Après quelques semaines ils prirent les fusils et les randonnées se changèrent en parties de chasse.

Les deux hommes circulaient surtout dans la zone forestière. Episodiquement ils tuaient du gibier à plumes, perdrix, pluvier, gélinotte et tétras, parfois un écureuil, un lièvre. Raguse, dont la vue était devenue vraiment médiocre, ratait tout ce qu'il visait. Bientôt il ne tira plus, il laissait faire Gerfaut.

Fin octobre ils montèrent plus haut qu'ils n'étaient jamais montés, avec la Weatherby. Il y avait eu des chutes de neige, puis le temps s'était remis. Ils traversèrent la forêt et s'élevèrent à travers les alpages piqués de bouquets de myrtilles et de coussins de rhododendrons. Pitons de granit et dômes neigeux occupèrent bientôt tout l'horizon. Gerfaut et Raguse montaient par des sentiers pierreux. Le vieux paraissait enchanté. Les sentiments de Gerfaut étaient amorphes. Au fait, depuis qu'il résidait dans la montagne, il se maintenait dans une manière d'hébétude. Présentement il contemplait le paysage sans le trouver beau ni laid; il sentait sa mauvaise jambe regimber mais il ne songeait pas à faire la pause; la sueur lui dégoulinait dans le dos et le long des côtes, le vent venu du ciel lui râpait le visage, mais ça ne le gênait pas.

Au milieu de l'après-midi on fit halte dans un refuge en pierre, avec des bat-flanc, un âtre et des inscriptions au charbon de bois sur le roc des parois : des excursionnistes avaient tenu à marquer ainsi leur passage si loin du niveau de la mer. Gerfaut ne ressentit aucune impulsion semblable. On repartit et, une heure plus tard, Raguse, dont la vue basse était très bien compensée par la lunette de visée de la Weatherby, abattit, à quatre cents mètres de distance, une bête à cornes – chamois ou bouquetin, Gerfaut n'y connaissait rien et ne faisait pas la différence; ç'aurait aussi bien pu être une antilope ou un escargot, pour ce qu'il en avait à foutre. Ils allèrent chercher le cadavre et se relayèrent pour le descendre. Ils regagnèrent leur logis à la nuit noire. Entre ses dents, Raguse ne cessait de grommeler des moqueries et des obscénités dirigées contre le parc national de la Vanoise et ses gardes. Gerfaut n'a jamais cherché à savoir ce qui avait pu motiver cette hostilité.

Dans la nuit on dépeça la bête. On sala des quartiers de viande. La peau fut mise de côté, et aussi la tête cornue. Dans les jours qui suivirent, Raguse s'occupa de tanner celle-là et de naturaliser celle-ci.

– Je les vendrai à des imbéciles, expliqua-t-il. Pour mettre dans leur salon.

– Qu'est-ce que je fous ici, vous pouvez me le dire? demanda Gerfaut avec irritation. (Il avait bu plusieurs grands verres d'eau de vie de fruits. Il buvait de plus en plus fréquemment.) Je passe ma vie à faire le con, observa-t-il encore.

– Ah mais, tu peux t'en aller, tu peux foutre le camp, Sorel. Quand tu veux. Tu es libre.

– Mais, dit Gerfaut, c'est partout la même merde.

En général, il s'entendait plutôt bien avec le vieux. Ils firent encore des randonnées. D'autres jours, de plus en plus souvent comme la neige s'était installée et les bêtes avaient quitté les alpages et regagné les étables, on appelait le vieux pour une intervention vétérinaire et Gerfaut allait avec lui pour donner un coup de main, tenir la lampe et ce genre de choses. Il apprit à empoigner les cornes d'une vache et à lui basculer la tête quand Raguse devait enlever un corps étranger d'un œil de l'animal, ce qu'il faisait avec une plume enduite de beurre, ou parfois simplement en flanquant du sucre en poudre dans l'œil, de sorte que la vache pleurait comme un veau et expulsait la source de gêne. C'est à peu près tout ce que Gerfaut apprit.

Enfin, début avril, alors que le froid et le mauvais temps se prolongeaient, Gerfaut, un soir de cuite, attrapa la crève. Vers minuit il appela Gerfaut et lui dit qu'il allait mourir. Beurré comme un coing, Gerfaut prit la chose à la blague. A l'aube Raguse était mort.

17

– Je ne vous imaginais pas comme ça, dit
Gerfaut à Alphonsine Raguse.

– Comment m'imaginiez-vous?

Elle était assise dans la pièce commune, dans le
fauteuil du vieux, en pantalon de velours gris
perle, boots brunes, chandail écru et manteau de
cuir brun. Des cheveux très noirs, drus, sains et
simplement taillés en forme de casque allemand
par un coiffeur dont le moindre coup de ciseaux
devait coûter dix sacs comme rien; une peau mate
et bronzée, des yeux clairs, des sourcils haut
plantés, des pommettes marquées, un nez petit,
une mâchoire énergique. Ses lèvres très rouges
souriaient horizontalement et découvraient des
dents tout ce qu'il y a de sain et d'éclatant. Elle
avait l'air d'une très bonne publicité pour un club
de vacances, sauf que les publicités pour les clubs
de vacances n'ont jamais cet air-là et donnent
plutôt envie de rester chez soi. Elle buvait une
vodka. Elle avait apporté la vodka avec elle, dans
sa Ford Capri. Elle avait également apporté un

type nommé Max. Présentement le type était reparti avec la Capri, faire des commissions à vingt-cinq kilomètres de là.

– Je ne sais pas, moi, dit Gerfaut. Je voyais une femme de quarante-cinq ans, paraissant plus, les mains rougies par les vaisselles et les gros travaux et les yeux rougis par les chagrins. Qui serait venue par le train et en autocar, en manteau noir mité. Mais bon dieu, quel âge avez-vous ? Excusez-moi.

– Vingt-huit ans. Il n'y a pas de mal.

– Vous n'êtes pas la fille de Raguse.

– Sa petite-fille.

– Il me parlait de temps en temps de sa fille qui lui envoyait de l'argent...

– C'est moi.

– Bon, dit Gerfaut. Excusez-moi. Je ne sais pas pourquoi je pose toutes ces questions, de quel droit... Je vais m'en aller. Merci pour le verre.

Il se leva de son tabouret pour poser dans l'évier de basalte le pot à moutarde dans lequel il avait bu de la vodka.

– Vous n'êtes pas d'ici, dit-elle. Vous êtes parisien.

– D'origine, dit Gerfaut que l'expression amusa et qui sourit dans sa barbe blonde. Vous ne me croiriez pas si je vous racontais comment j'ai atterri ici.

– Essayez toujours.

Gerfaut pouffa. Il se sentait gamin.

– C'est très simple. Jusqu'à l'été dernier, j'étais cadre moyen dans une boîte, à Paris. J'ai pris mes vacances et deux hommes ont essayé à deux reprises de m'assassiner, pour une raison que j'ignore. Deux hommes que je ne connais pas. A ce moment-là, j'ai abandonné ma femme et mes enfants et, au lieu de prévenir la police, je me suis enfui au hasard. Je me suis retrouvé dans un wagon de marchandises qui traversait les Alpes. Un vagabond m'a assommé à coups de marteau et jeté du train. Je me suis cassé le pied, c'est pour ça que je boite. Votre père... votre grand-père m'a recueilli et soigné. Et voilà.

Dans le fauteuil, la jeune femme se tordait de rire.

– C'est la pure vérité, dit Gerfaut.

Il avait du mal à garder son sérieux.

– Buvez encore un pot, dit Alphonsine Raguse en désignant vaguement la bouteille de vodka et elle avait encore dans la voix un grelot de fou rire rentré, et des larmes de rire dans ses yeux gris; elle s'essuya les yeux et poussa un soupir. Gerfaut reprit son pot à moutarde dans l'évier, en essuya la base contre sa manche et se versa un peu de vodka encore. Il se passa deux doigts dans les cheveux, légèrement.

– Si je vous disais que c'est une trace de balle, tenez, cette touffe blanche.

– Oui, oui, dit Alphonsine. Vous êtes un aventurier.

– Non. Vous ne comprenez pas. Non, pas du tout. Je suis le contraire.

– Qu'est-ce que c'est, le contraire?

– Un type qui ne veut pas d'aventures.

– Vous ne voulez pas d'aventures? Vous êtes heureux, vous ne voulez pas d'aventures? (Elle demeurait rieuse; ironique, mais sans méchanceté.)

– Une aventure avec vous, dit étourdiment Gerfaut. Excusez-moi, ce n'est pas ce que je voulais dire. Je suis confus.

Elle demeura silencieuse assez longtemps. Son visage avait pris une expression soucieuse. Gerfaut ne trouvait rien à dire pour meubler le silence et il n'osait pas regarder la femme. Il se sentait con.

– Comment était l'enterrement? demanda-t-elle soudain. Je ne voulais pas venir. Je ne suis pas émue que mon grand-père soit mort. Je n'aime pas les enterrements. Il faut aimer la mort pour aimer les enterrements et je ne vois pas qui peut aimer la mort. Non, dit-elle avec nervosité, c'est idiot, ce que je viens de dire, beaucoup de gens aiment la mort. Enfin, je ne sais pas...

Elle se tut, comme essoufflée. Elle regardait le sol. Sous son hâle, la peau de son visage rosit nettement et vite, devint couleur de langoustine cuite. Elle jeta à Gerfaut un coup d'œil dur. Elle se leva et il se leva aussi, poli. Elle lui flanqua une gifle brutale, et une autre. Il ne lui saisit pas le poignet; il se protégea la figure avec l'avant-bras et recula vers le mur.

– Excusez-moi, je vous en prie, dit-il. (Il gloussa de rire. Son dos heurta la paroi.) C'est parce que j'ai passé huit ou dix mois ici, j'ai passé l'hiver dans une sorte de stase sexuelle, comprenez-vous? (Il marmonnait; il n'essayait même pas d'être clair.)

– Mais moi! (Elle criait; elle tapa du talon par terre; elle flanqua un coup de pied dans le tibia de Gerfaut.) Mais moi, je n'ai pas passé l'hiver dans une sorte de stase sexuelle, monsieur Sorel, comme vous dites de manière si snob!

Ils entendirent alors la Capri qui se rangeait devant la maison. Alphonsine tourna le dos à Gerfaut et alla vers la porte en cognant délibérément ses talons contre le bois du sol, comme si elle voulait donner des chocs à son cerveau. Gerfaut s'adossa au mur, se détendit, s'attacha à respirer profondément, mais sans excès.

Max, le type d'Alphonsine, entra. Lui aussi tapait des talons contre le sol, mais c'était pour se réchauffer.

– Monsieur Sorel reste ce soir, dit Alphonsine d'une voix paisible et musicale. Il nous donnera des renseignements complémentaires.

– Ah bien, bien, dit le type. (Dans les trente-cinq ans, le cheveu noir et les yeux verts, le torse triangulaire, un beau mec à qui certaines choses viennent facilement, futal de laine écossais, trois-quarts de daim élégamment crasseux sur un pull blanc.) Ils ont un restau qui n'a pas l'air trop dégueulasse, en bas, ajouta-t-il. Je ne comprends vraiment pas pourquoi tu veux qu'on se fasse chier à faire la cuisine.

– Faut habiter un lieu, vraiment l'habiter, si l'on veut savoir comment il est, comment, enfin, bref, dit Alphonsine et elle embrassa Max sur la

125

bouche en se frottant brièvement contre lui, de façon provocante; et dans les moments qui suivirent elle donna mille marques de soumission, elle fit la cuisine, c'est à peine si elle laissa Gerfaut lui donner quelques informations sur le fonctionnement de l'écoulement d'eau, l'absence de réchaud; c'est à peine si elle laissa les hommes alimenter le feu dans l'âtre et mettre la table.

Ils dînèrent et devisèrent. Alphonsine annonça qu'elle avait décidé de garder la maison et d'y faire des transformations importantes.

— Oui, oui, approuva le type avec enthousiasme. Ça fera un point de chute assez dément. Coupé de tout.

— Chéri, lui dit-elle en lui caressant le coude avec la main et en frottant sa tête contre l'épaule du chandail blanc.

Assis en face du couple, le nez dans son verre, Gerfaut croisa le regard de la jeune femme, un regard brillant, brûlant, malséant et forcené.

Toutefois il s'écoula quelque temps avant qu'Alphonsine et Gerfaut se sautassent dessus pour se posséder. D'abord on passa la nuit dans la maison, Gerfaut seul dans sa chambre où il dormit mal, le couple dans celle du vieux. Puis au matin Alphonsine demanda impérieusement à Gerfaut d'être le gardien de la maison, tandis qu'elle allait repartir pour Paris, trouver un architecte, et approuver un projet de transformation que réaliseraient des entrepreneurs et artisans locaux, et Gerfaut surveillerait leur travail, qui serait terminé à l'été. Elle paierait Gerfaut. Elle pensait qu'il refuserait l'argent, mais il l'accepta. Et elle s'en alla le même jour avec son type, Max, mais elle revint bien avant l'été, seule. Et Gerfaut était toujours là, à gardienner, sans souci apparent; et pourtant, le soir qui suivit le départ du couple, il avait allumé le feu avec un *France Soir* de la veille, qu'ils avaient laissé; et par hasard, comme il faisait de grosses boules aérées avec les feuilles du journal, son regard était tombé sur un article très court, un bouche-trou, titré : *Peut-être du nouveau dans l'affaire Gerfaut, le cadre parisien disparu l'été dernier après une tuerie.* Ce qui était un titre bien long pour un article bien court.

18

– Vous n'êtes pas un flic, dit le vagabond.

– Je suis journaliste, dit le jeune homme aux cheveux noirs ondulés, aux yeux d'un joli bleu, nommé Carlo. Je te paie le coup, si tu me racontes des choses intéressantes.

– J'ai tout dit aux gendarmes, et il y a un policier qui est venu de Paris, j'ai tout répété. N'avez qu'à leur demander.

Le vagabond avait de grandes dents jaunes dans une bouche déformée et il avait l'air de ricaner perpétuellement. Il s'agita, mal à l'aise, se lécha les lèvres et remit machinalement son melon sale d'aplomb sur ses cheveux sales. Il regrettait de n'avoir plus son marteau. Le jeune homme aux cheveux noirs sortit un porte-billets de la poche de son imperméable bleu marine et en tira un billet de cinquante francs. En même temps qu'il l'agitait devant la figure du vagabond, il le roulait avec trois doigts, comme une cigarette. Sans conviction, le vagabond esquissa un geste pour se saisir du pognon, puis secoua la tête.

– Allons, voyons, fit Carlo d'un ton grondeur. (Il fit un pas en avant, souleva le chapeau melon, coinça le billet roulé entre chapeau et cheveux, de sorte que les cinquante francs restèrent accrochés sur le front du trimardeur.)

– Comme j'ai dit aux gendarmes, commença le vagabond et il s'interrompit et regarda Carlo d'un air incertain, mais Carlo attendait la suite, ils étaient seuls tous les deux au bord d'un champ de maïs, à la nuit tombante, la 504 de Carlo garée sur le bas-côté du chemin vicinal, un clocher se montrant entre les arbres à deux ou trois kilomètres et rien ni personne qu'on pût appeler à la rescousse; le vagabond ne voyait pas quoi faire sinon continuer et il continua : Comme j'ai dit aux gendarmes, je l'avais trouvé par terre, le carnet de chèques de ce monsieur Gerfaut. A la gare de Lyon; pas la gare de Lyon à Paris, la gare de Perrache à Lyon. Il y a six mois ou davantage, peut-être bien huit. Je l'ai gardé parce que je pensais que des fois je pourrais aller le reporter à une agence B.N.P., n'est-ce pas, c'est un chéquier de cette banque-là, et avoir un petit quelque chose en récompense. Ou peut-être bien que j'ai pensé m'en servir un jour pour moi, je ne le nie pas, mais intention n'est pas crime. (Le rictus ordinaire du vagabond s'accentua; sans doute souriait-il peureusement.) Mais jamais j'ai fait ça. J'ai gardé le carnet, c'est tout. Je sais rien d'autre. Je le jure sur la tête de ma mère qui meurt à l'instant.

Le vagabond se tut et essaya de voir le fric

pendouillant sur son front, ce qui le fit loucher. Il ne fit pas de geste pour y toucher.

— Tu récites, dit Carlo.

— Forcément, ils me demandaient toujours la même chose, les gendarmes et le policier de Paris. Ils m'ont battu, monsieur, si vous êtes journaliste ça vous intéressera peut-être. Ils me forçaient à m'agenouiller sur une règle en fer et ils me tapaient tout le temps sur la tête avec des annuaires du téléphone pendant des jours et des jours. Et ils m'ont fait avoir trente jours pour vagabondage, et à la prison on m'a encore persécuté et c'était pour que je dise autre chose, mais je ne peux pas dire autre chose parce que c'est la vérité.

— Je te donne encore une chance, dit Carlo d'un ton ennuyé.

— Je peux m'asseoir? Je suis fatigué.

Carlo haussa les épaules. Le vagabond replia les genoux et s'assit lentement et lourdement sur ses talons. A sa sortie de prison, on ne lui avait pas rendu son marteau, et pourtant, ils n'avaient pas le droit de le confisquer, c'était un outil, c'était un marteau entièrement métallique dont le manche se dévissait et contenait des accessoires, des lames de tournevis et de tire-bouchon et un poinçon, mais on ne le lui avait pas rendu, et qu'est-ce qu'il était pour protester? Sa main droite tâtonna au sol comme pour lui fournir un appui et elle se referma sur un silex assez lourd. Son bras se détendit pour briser le genou de Carlo. Celui-ci fit un pas de côté très rapide, saisit le bras au vol et

131

tira dessus en tordant un peu. L'épaule du vagabond se déboîta avec un claquement.

– Ducon, dit Carlo.

– Au secours!

Carlo donna au vagabond un coup de pied
dans l'estomac. Le vagabond se tut, plié en deux,
incapable de crier. De la main gauche, le jeune
homme envoya voltiger le chapeau melon et saisit
le vagabond aux cheveux. Il lui renversa la tête en
arrière et la secoua. Le billet de cinquante francs
tomba dans l'herbe et la poussière et les cailloux.
De la main droite, Carlo sortit de sa poche
d'imper un couteau suisse.

– Regarde, dit-il en tordant les cheveux du
vagabond.

Le vagabond poussa un couinement de souris
quand l'autre lui enfonça le couteau dans le flanc
et quand il sentit le fer tourner et ressortir. Du
sang coulait en abondance.

– Tu vois, dit Carlo, je ne suis pas un simple
flic, moi. Je suis vraiment brutal. Tu vas me dire
la vérité, à présent.

Le vagabond lui dit la vérité sur les circonstan-
ces dans lesquelles il était entré en possession du
chéquier de Georges Gerfaut. Ce n'était pas du
tout ce qu'il avait dit aux gendarmes ni ce
qu'avait imprimé la presse (Carlo avait les entrefi-
lets, y compris celui de *France Soir* intitulé *Peut-
être du nouveau*, etc., dans son portefeuille). Le
jeune homme s'assura que c'était toute la vérité.
Puis il traîna le vagabond jusqu'au milieu du
champ de maïs et il lui cassa le crâne avec une

grosse pierre. Il le dévalisa (butin : treize francs soixante-douze) et lui prit ses chaussures éculées. Peut-être croirait-on à un crime crapuleux. Ça n'avait pas une très grande importance. Carlo, en regagnant sa Peugeot, n'omit pas de récupérer le billet de cinquante francs qui était tombé à terre.

19

Oui, Alphonsine Raguse revint bien avant l'été. Elle revint le 1er mai et pourtant, en ce qui concerne les intempéries, c'était un des 1er mai les plus dégueulasses de la décennie, de la pluie sur les trois quarts de la France, une tempête sur l'Atlantique et des vagues escaladant le bord de mer juste dans l'embouchure de la Gironde, par exemple à Saint-Georges-de-Didonne; et un véritable ouragan enfilait la vallée de la Seine, au point que des toitures furent arrachées même à Magny-en-Vexin, et au-delà, à Paris, et en deçà, par exemple à Vilneuil, un hameau qui se trouve à trente kilomètres de Magny-en-Vexin.

Le vent donna du souci à Alonso Emerich y Emerich. Il n'exposa pas ses soucis à Bastien ni Carlo. Dans le passé il lui était arrivé de leur exposer ses soucis, mais alors c'étaient des soucis d'un autre ordre. D'ailleurs il y avait des mois et des mois qu'Alonso n'avait plus de contact avec les deux tueurs, depuis le fiasco Gerfaut. D'ailleurs Bastien était mort. D'ailleurs Alonso n'avait aucune idée de ce qu'était devenu Carlo ni où il se trouvait. Carlo se trouvait à des centaines de kilomètres de Vilneuil, dans une chambre d'hôtel de Chambéry. Il s'était fait monter des sandwiches au poulet et quatre bouteilles de bière allemande. La télévision était en marche, mais le son était coupé. Carlo pouvait se payer un hôtel où il y a la télévision dans les chambres, car il avait eu plusieurs contrats depuis la mort de Bastien. Il s'était habitué à ne plus travailler avec Bastien et à travailler seul. Il n'envisageait pas de trouver un nouveau partenaire. Cependant il n'avait pas renoncé à venger Bastien, bien qu'il n'en portât plus le deuil. Présentement il ne regardait pas du tout la télévision qui diffusait une émission d'Armand Jammot. Il étudiait des notes manuscrites relatives aux horaires et aux itinéraires des trains de marchandises qui circulent dans les Alpes. Et il étudiait des cartes au 1/25 000 de l'institut géographique national couvrant un polygone dont les sommets étaient Chambéry, Aix-les-Bains, Annecy, Chamonix, Val-d'Isère, Briançon et Grenoble. C'était un travail de longue haleine. En même temps, s'appuyant au mur ou se cramponnant à la table, Carlo accomplissait des exercices de musculation isométriques. Dans la cantine métallique posée sur le porte-valises se trouvaient ses vêtements de rechange, son .45 S & W, les trois couteaux et le fusil à aiguiser, le garrot, la matraque et le reste. La trousse de toilette de Carlo était dans la salle de bains et il avait posé sur la table de chevet un roman de science-fiction de Jack

Williamson en traduction française. Le sac de toile avec le superposé M6 et les jumelles était par terre au pied du mur.

Tandis que Carlo mordait dans un sandwich au poulet, Alphonsine Raguse était arrivée depuis plusieurs heures dans la maison de son grand-père. Un brouillard épais pesait sur la petite vallée. Les vents épargnaient cet endroit. La brume flottait dans l'immobilité; on aurait dit une très épaisse couche de coton hydrophile posée sur le sol.

Alphonsine et Gerfaut rigolaient presque sans arrêt. Entre eux, ça marchait bien. Ils étaient ravis d'avoir accompli ensemble l'acte de chair et de leur intention de recommencer aussi souvent que possible. A tout instant ils se serraient les doigts, se caressaient l'épaule ou les cheveux, se baisaient la tempe ou la saignée du bras, leurs yeux brillaient, ils embaumaient la sueur et les autres fluides, ils gloussaient fréquemment.

Gerfaut était assis à la table de la salle commune, le torse nu, les pieds nus, vêtu d'un pantalon trop court en toile. Devant lui sur la table se trouvait un récepteur de radio portatif I.T.T. avec une longue antenne inclinée. Il y avait aussi une assiette à dessert en guise de cendrier. Gerfaut fumait une Gitane-filtre. Le poste de radio captait du jazz, une émission de France Musique, un solo de piano de Johnny Guarnieri. Peu après sa première visite, Alphonsine avait envoyé par mandat un mois de salaire de Gerfaut. L'homme s'était aussitôt acheté le poste de radio, le pantalon, des Gitanes-filtre et un très petit jeu d'échecs en matière plastique qui se trouvait dans la chambre par terre et dont les pièces occupaient la position finale d'une partie Vassioukov/Polugaievski, championnat d'U.R.S.S. 1965 (abandon des Blancs après le trente-deuxième coup).

– Georges, dit Alphonsine en décachetant une bouteille de whisky Isle of Jura. Quel horrible prénom!

– Tout le monde ne peut pas s'appeler Alphonsine. *Call me* Jojo.

– Oui, très bien, Jojo. Très bien. Parfait. Jojo. J'ai balancé, tu sais, j'ai balancé mon mec en rentrant à Paris. Et je voulais revenir tout de suite ici. Je suis une vraie salope, hein? (Comme Gerfaut ne répondait pas, elle poursuivit.) Je voulais venir mais j'avais des obligations. D'ailleurs je voulais réfléchir. (Elle gloussa.) Non, sérieusement, je savais que j'allais venir, mais je voulais faire ça avec une noble lenteur. Pourquoi t'es-tu rasé? Pourquoi couper cette barbe virile? Tu sais que tu as quelque chose de Robert Redford?

– Berkh, murmura Gerfaut. (En effet, il avait un petit quelque chose de Robert Redford. Mais, comme beaucoup d'hommes, il n'aimait pas Robert Redford.) J'en avais marre d'avoir l'air, je ne sais pas, d'un brigand dans Edmond About. De quelles obligations parles-tu? Tu es dans les affaires? Tu as l'air riche.

Alphonsine attira un tabouret près de la table et s'assit. Elle versa du whisky dans deux tasses ébréchées puis elle croisa les bras sur la table et y appuya son menton. Elle portait des bottes et un pantalon de daim. Elle était torse nu. Elle n'avait pas froid car un feu d'enfer ronflait dans la cheminée. Sur la nuque, les cheveux d'Alphonsine étaient encollés de sueur. La radio cessa de diffuser du Johnny Guarnieri, une chaude voix d'homme débita des conneries structuralistes et gauchistes, puis on entendit Dexter Gordon et Wardell Gray.

– Wardell Gray, pas ce ténor-ci, l'autre, dit Gerfaut en désignant inutilement le poste du doigt, on l'a retrouvé flingué dans un terrain vague. Et Albert Ayler, on a retrouvé son corps dans l'East River. Et Lee Morgan, sa nana l'a descendu. Tu sais, ces choses-là existent! Elles ont lieu!

– A dix-neuf ans, fit distraitement Alphonsine, j'ai épousé un chirurgien. Amoureux fou de moi, ce crétin. Sous le régime de la communauté. On a divorcé au bout de cinq ans et je lui ai pompé un max de blé. Qu'est-ce que tu veux dire par « ces choses-là existent? » Tu ne vas pas recommencer avec tes histoires de tueurs?

Gerfaut secoua la tête. Il avait l'air distrait et inefficace. Le rire avait presque entièrement disparu de son visage.

– L'île de Jura, dit-il en tournant son regard vers la bouteille de whisky. C'est dans les Hébrides. George Orwell avait une petite ferme là-bas. Il voulait y organiser son existence, mais il n'a pas vraiment eu le temps et il est mort de la tuberculose.

– Dis donc, tu es vraiment gai, toi! Il est vraiment gai, ce mec! C'est qui, d'abord, George Orwell?

Gerfaut ne répondit pas à la question. Il se tapa cul-sec sa tasse de whisky Isle of Jura.

– Il va falloir que je prenne une décision un de ces jours, dit-il mais il ne dit pas quelle décision. Ça peut attendre. Ça peut au moins attendre que le brouillard se lève. Allons baiser, tu veux?

Ils allèrent baiser. Le brouillard ne se levait pas. De trois jours, il ne se leva pas. Le soir du troisième jour, la 504, ses antibrouillards allumés, pénétra dans le village à petite vitesse. Elle alla s'arrêter devant l'église, en face du buraliste.

Dans la maison Raguse, Alphonsine et Gerfaut étaient attablés. Elle était vêtue d'un peignoir blanc en éponge et de grosses chaussettes américaines en laine bouclette. Gerfaut portait un pantalon de velours brun à grosses côtes et une chemise écossaise en laine. Tous deux fleuraient bon le propre et le savon. Ils mangeaient des tartines et buvaient du Champagne. A la radio, une dame noire chantait qu'aux petites heures de la nuit, quand tous les gens sont profondément endormis, tu restes éveillé dans ton lit et tu penses à lui, tu ne peux pas t'en empêcher. Il faisait nuit et on voyait le brouillard derrière les fenêtres.

Dans la 504 arrêtée devant l'église, Carlo avait allumé son plafonnier pour consulter ses cartes. Puis il cocha sur une liste le nom du hameau. Il avait fait des listes des agglomérations de toute importance se trouvant au voisinage des différents endroits où il était possible que Gerfaut fût tombé d'un train. Il y avait différents endroits possibles parce que le vagabond n'avait pu être très précis. Au total, la liste des localités les plus probables comptait quarante et un noms. Une seconde liste, énumérant des localités où il était moins probable mais toutefois très possible que Gerfaut eût abouti après sa chute, comptait soixante-treize noms. Il y avait encore une troisième liste. Carlo parcourait la montagne depuis quarante-huit heures. Le nom du hameau où il se trouvait à présent venait en vingt-troisième position sur la première liste.

Le tueur rangea ses listes et ses cartes, éteignit le plafonnier et quitta la voiture. Il traversa la rue boueuse et entra chez le buraliste. Il y avait dans le débit trois vieillards vêtus de noir pisseux et le buraliste qui était un gros homme à bretelles. Carlo commanda du café et on apporta une tasse et une cafetière, et du sucre taché de café dans un sucrier de matière plastique imitant le cristal. Puis Carlo demanda de l'aspirine. Il montra son index gauche qui était emmailloté de gaze et de sparadrap.

— C'est mon doigt, expliqua-t-il. Il m'élance.

— Faut pisser dessus! clama un des vieillards. Pisser dessus et pas se laver jusqu'au coucher du soleil.

Le tueur eut un pâle sourire.

— Je préférerais... Je me demande... Il n'y a pas de médecin, ici? (C'était la vingt-troisième fois qu'il posait la question en quarante-huit heures.)

141

– Ah non, faut redescendre. (Le buraliste dévisagea le tueur.) D'ailleurs, vous êtes obligé de redescendre, la route elle va pas plus haut.

– Alors, dit Carlo, quand vous vous faites une blessure ou quelque chose, vous allez dans la vallée. Il n'y a pas quelqu'un? Enfin, je veux dire...

– Il y avait le caporal Raguse, cria le vieux qui était déjà intervenu. Pas plus caporal que moi, oué! Il est passé, de toute façon.

Carlo continua de deviser une quinzaine de minutes. Il apprit tout ce qu'il voulait savoir. Il remercia pour l'aspirine, paya son café et les quatre rhums qu'il avait offerts aux trois vieux et au buraliste, et il sortit du débit. Un instant il demeura immobile dans la rue. A travers le brouillard épais, il essayait d'apercevoir des lumières, peut-être même les lumières de la maison Raguse qui se trouvait à moins de cinq cents mètres. Mais c'était peine perdue, il ne distinguait même pas le coupé 504 à quatre mètres de lui.

Avec ce con de Georges Gerfaut, Carlo était désormais décidé à n'agir qu'à coup sûr. Le tueur regagna sa voiture et quitta le hameau, redescendant avec prudence, ses phares antibrouillard tâtonnant dans la blancheur, lentement vers les vallées.

A Saint-Jean, il trouva un hôtel ouvert et y prit une chambre. Dans sa chambre, il ôta le pansement qu'il avait à l'index, découvrant son doigt intact. En montant à la chambre, il avait porté lui-même sa cantine et le sac de toile. Il les posa

142

tous deux sur le lit, ouvrit la valise et prépara ce qu'il mettrait demain, un pantalon de toile, une chemise à carreaux, un gros chandail à col roulé, des rangers aux pieds. Ensuite il nettoya et graissa soigneusement ses armes. Avant de se coucher il étudia longuement ses cartes au 1/25 000. Il avait demandé qu'on le réveille à 5 h 30.

20

— Je suis libre, dit Gerfaut. Je peux faire ce que je veux de mon existence. Crois-moi, je sais de quoi je parle.

— Arrête de picoler. (Alphonsine n'était pas sévère; elle riait.)

— Je suis libre, répéta Gerfaut et il versa encore de l'alcool dans son café noir et vida sa tasse. Je fais ce que je veux. Tu veux que je t'emmène tuer un animal protégé?

Il sauta à bas du lit. Il enfila maladroitement son pantalon. Il semblait gai.

— Je ne t'aime pas, dit-il à Alphonsine. Je ne t'aime pas. Tu es très belle mais tu es une personne de qualité moyenne. Tu me plais beaucoup.

— Tu es bourré, dit Alphonsine. Tu veux vraiment sortir? (Elle fit une moue.) Peut-être ça te dessoûlera, dit-elle.

Un tendon bougea dans la joue du tueur quand le couple sortit de la maison. Au reste, l'homme demeura immobile, observant. A vol d'oiseau, il se trouvait à sept cents mètres de la maison Raguse et deux cent cinquante mètres de dénivellation. Il était installé à plat ventre sur le sol dans un bouquet de petits arbres et il observait la maison à la jumelle. Son sac de toile entrouvert était près de lui. Carlo avait quitté son hôtel à 6 heures, ayant réglé sa note en liquide. Il avait gagné en voiture, par une vallée voisine, un col proche. De là, il avait parcouru six kilomètres à pied par des sentiers et s'était trouvé à pied d'œuvre à 7 h 30. Il avait avec lui son automatique, le réducteur de son de l'automatique, le M 6. Il avait monté le M 6 et en avait réglé la hausse. Il attendait. Il était 12 h 15. Il lui parut que Gerfaut et la femme riaient et s'amusaient à se bousculer à coups d'épaule. Gerfaut avait une arme à la bretelle. Le tueur l'examina avec ses puissantes jumelles. Une belle arme, semblait-il. Mauser-Bauer, peut-être, ou Weatherby, ou peut-être une Omega III comme on a offert à l'acteur John Wayne, mais non, la culasse était différente.

Le couple montait droit vers le tueur, par un sentier. L'homme et la femme, s'ils continuaient de suivre le sentier, obliqueraient sur la gauche dans deux ou trois minutes et passeraient un peu plus tard à moins de trois cents mètres de Carlo, ce qui était pour lui une bonne distance de tir. Et s'ils n'obliquaient pas, s'ils montaient tout droit à travers la pâture, il était même envisageable que Carlo pût se les farcir au pistolet, bien silencieusement. Il était nécessaire de tuer la femme aussi, pour qu'elle ne donne pas l'alerte. Carlo avait envisagé d'attendre qu'un des deux zigotos ou bien tous les deux quittent la maison, et il s'y serait introduit et les aurait attendus. Mais les choses se présentaient plus simplement puisque ses victimes venaient à lui.

Trois minutes plus tard, suivant le sentier, Gerfaut et Alphonsine obliquèrent à gauche. Après un moment, ils se trouvèrent à deux cent soixante mètres du tueur et à la même altitude que lui. Alphonsine trébucha légèrement devant Gerfaut et fit un écart à gauche. Gerfaut lui posa les mains sur la tête et lui passa les doigts dans les cheveux. En même temps il riait et frottait son corps contre celui de la jeune femme dont il sentit le derrière contre lui.

— Tu sais, dit-il gaiement, je suis con, je suis un plouk. Qu'est-ce que c'est que cette idée d'aller se traîner dans la montagne? J'en ai soupé de la montagne. On n'est pas en week-end, on n'est pas des, je ne sais pas, moi...

Sur le côté droit le torse d'Alphonsine se fracassa. La jeune femme sauta sur le côté comme si elle recevait un coup de pied de cheval et un petit sphéroïde d'os écrasé, de chair en bouillie, de morceaux de bronches, de sang en aérosol et d'air comprimé, ainsi que la balle dum-dum qui poussait le tout devant soi, sortirent brusquement de son dos. Gerfaut avait encore les deux mains en l'air devant lui et il était stupéfait de ne plus avoir les cheveux noirs d'Alphonsine entre ses doigts quand la jeune femme heurta le sol de l'épaule en même temps qu'on entendait le départ du coup,

147

là-bas sur la droite. Gerfaut se laissa tomber droit devant lui sur la figure et il entendit l'air se déchirer et puis le bruit du second coup. Affolé de stupeur et de haine, la joue pleine de terre, Gerfaut simultanément commença d'ôter la bretelle de sa carabine et se tourna vers Alphonsine qui ne bougeait pas, la bouche ouverte et le visage dans la boue, morte car son cœur s'était sous le choc arrêté net. L'homme serra les lèvres en voyant la bouche ouverte et terriblement immobile. Un troisième coup frappa la terre derrière le dos de Gerfaut et y ouvrit une excavation superficielle qui avait un peu la forme d'un bidon à lait. De la terre et des pierres cinglèrent le dos de Gerfaut tandis que la troisième balle, complètement écrasée, ricochait au-dessus de lui. Gerfaut acheva de dégager la Weatherby, roula sur lui-même et épaula. Au fond de sa lunette il vit briller quelque chose et il pressa la détente. Son adversaire cessa de tirer.

Gerfaut se retourna vers Alphonsine et la regarda encore jusqu'au moment où il comprit qu'elle était morte. Alors il se mit debout. D'abord lentement, puis très vite, il courut vers le bouquet d'arbustes qu'il avait visé. Au bout d'une minute et demie il distingua le tueur qui gigotait entre les arbustes. La balle tirée par Gerfaut avait frappé la crosse pliante du M 6 et elle avait pété en tous sens, la balle avait faussé et détruit l'arme avant de s'enfoncer dans la cuisse de Carlo et de lui briser le fémur. Carlo avait le côté gauche de la figure tout couvert de sang et une multitude d'éclats de plastique et d'alliage léger étaient fichés là dans sa chair, et aussi dans le côté de son corps. Un trou très net se voyait à son pantalon, sur la cuisse gauche, et la toile était gluante de sang. Le tueur brandissait son automatique Beretta dans sa main droite et il tirait sur Gerfaut et le manquait car il avait perdu l'œil gauche et n'évaluait plus les distances correctement et il était en état de choc.

Gerfaut ne songea même pas à s'arrêter pour l'abattre. Il continua de courir de plus en plus vite et le tueur continua à lui tirer dessus et le manqua quatre fois, jusqu'au moment où Gerfaut arriva sur lui et lui donna un grand coup de crosse sur la main (le tueur lâcha l'automatique) et un autre sur la tête et encore un autre.

– Salaud! Sale pourri merdeux! criait Gerfaut. Oh nom de dieu de nom de dieu de salaud.

Il s'arrêta de taper et s'accroupit en face de Carlo, la bouche ouverte, sa respiration sifflant dans sa gorge et ses flancs palpitants, et contemplant le tueur qui avait glissé sur le côté et dont l'œil intact était à demi fermé, et se disant qu'est-ce que je vais faire? je vais tout lui faire je vais le torturer à mort lui arracher la queue le cœur il faut que je me calme mais je ne suis pas tellement énervé que ça dans le fond je suis plutôt froid dans le fond froid.

Il vit alors que l'homme était mort : il lui avait fracassé la tête quand il l'avait frappé à coups de crosse. Il se rapprocha du cadavre en passant d'une fesse sur l'autre. De fait il se sentait assez calme et froid. Il avait une certaine difficulté à se concentrer, mais il n'était plus hésitant sur ce qu'il devait faire, comme il avait été tous ces derniers mois, depuis qu'on avait commencé à essayer de le tuer, et même, si l'on y réfléchit, hésitant comme il avait été depuis bien plus longtemps, dans sa vie de cadre et conjugale et de père, et précédemment d'étudiant et de militant et amoureuse préconjugale et d'adolescent et même d'enfant sans doute.

Il fouilla le cadavre du tueur et trouva une clé de voiture et un permis de conduire au nom d'Edmond Bron, né en 1944 à Paris, domicilié à Paris avenue du docteur Netter. Les poches de Carlo ne contenaient absolument rien d'autre.

Gerfaut laissa le cadavre sous les arbustes, ainsi que la M 6 cassée et la Weatherby. Il ramassa l'automatique Beretta qu'il mit dans le sac de toile de Carlo. Il emporta le sac avec lui. Il retourna à l'endroit où Alphonsine était couchée morte. La figure de Gerfaut était immobile tandis qu'il fouillait brièvement la belle jeune femme sans trouver de clés de voiture ni autre chose qui présentât un intérêt pratique. L'homme se souilla les mains de sang. Il laissa le corps d'Alphonsine où il était. Il redescendit vers la maison. Il se hâtait. L'échange de coups de feu avait fait un certain potin. Personne, en bas au village, ne semblait pourtant s'en être inquiété.

Gerfaut regagna la maison. Il vit tout de suite le sac à main d'Alphonsine. Il y prit les clés et les papiers de la Ford Capri, et aussi l'argent qui s'y

150

trouvait, un peu moins de mille francs. Il emporta des vêtements, ceux qui seraient mettables en ville, et le sac en toile de Carlo avec le Beretta dedans. Il monta dans la Capri, démarra, traversa le village, prit le chemin des vallées et puis des villes, de Paris.

En route, ayant mis en marche l'autoradio, il capta plusieurs choses qui auraient dû lui plaire : du Gary Burton, du Stan Getz, du Bill Evans; et elles ne lui plurent pas, il ferma l'appareil. Au vrai, il lui paraissait qu'il lui serait pendant long-temps impossible de jouir de la musique.

21

Il atteignit Auxerre sur le tard, s'arrêta dans un
hôtel sous le nom de Georges Gaillard, y mangea
mal et dormit peu. Les informations radiophoni-
ques ne disaient rien de lui ni d'une quelconque
tuerie dans les Alpes. Gerfaut espéra qu'il pouvait
conserver quelques heures encore la Capri à bord
de laquelle, en effet, il atteignit Paris sans encom-
bre le lendemain à l'heure du déjeuner. Il abandonna la voiture à Pantin, sans verrouiller les
portes, laissant la clé au contact, espérant qu'avec
un peu de chance elle serait volée, ce qui brouille-
rait les pistes; et en effet elle fut volée, par des
voyous bien organisés, car personne n'a plus
entendu parler d'elle.

Gerfaut prit le métro, changea à Gare de l'Est
et descendit à Opéra. Il éprouvait un grand plaisir
à se retrouver en ville. Il n'en avait pas conscience. Il portait le sac de toile de Carlo, avec le
Beretta dedans et quelques vêtements. Un
moment l'homme se plut à arpenter le lacis de
rues qui est à l'est de l'avenue de l'Opéra. Des

employés pressés, des secrétaires éreintées, un petit peuple grognon, coléreux et gai se pressaient dans les snacks et les rades et côtoyaient des cambistes inquiets et des étudiants américains. Gerfaut acheta *France Soir* et le feuilleta vaguement en mangeant des Francfort-frites sur un coin de comptoir. Il se passait dans le monde le même genre de choses que naguère. Pourtant on pouvait déceler une progression vague, mais Gerfaut ne savait pas vers quoi. Il finit sa bière, laissa *France Soir* sur le comptoir et se dirigea vers l'immeuble du journal *Le Monde*. De l'autre côté du boulevard, beaucoup de policiers en uniforme et en civil se mesuraient du regard avec un piquet de grève à l'entrée d'une banque. Gerfaut demanda à consulter des exemplaires du *Monde* vieux d'un peu moins d'un an. On le renseigna, on l'orienta, il s'installa, feuilleta, trouva. L'homme qui, l'an passé, était mort à l'hôpital de Troyes sans avoir repris connaissance, après qu'un inconnu l'y avait déposé, se nommait Mouzon, exerçait la profession de conseil juridique à Paris, était âgé de quarante-six ans. Il avait succombé aux blessures produites par quatre balles de 9 mm, et non aux suites d'un accident de la route. Gerfaut ne fut pas surpris.

Il y avait neuf Mouzon dans l'annuaire des abonnés au téléphone de la ville de Paris (liste alphabétique), dont un fabricant de ventilateurs, mais un seul Mouzon conseil juridique (liste par professions). Gerfaut nota le numéro de téléphone professionnel du conseil juridique (cabinet Mouzon & Hodeng) et, à la réflexion, nota les neuf autres numéros, puis il traversa le bureau de poste et fit la queue devant les cabines automatiques. Le numéro professionnel de Mouzon le mit en communication avec un disque selon quoi le numéro n'était pas attribué actuellement. Il essaya les autres numéros, écartant toutefois celui du fabricant de ventilateurs.

– Allô?

Voix de femme, Gerfaut appuya sur le bouton.

– M. Mouzon, s'il vous plaît.

– Ne quittez pas. De la part de qui?

Gerfaut raccrocha. Fit un second numéro. Même jeu. Troisième numéro. Pas libre. Quatrième numéro.

– Allô?

– M. Mouzon, s'il vous plaît.

– M. Mouzon est décédé. Qui est à l'appareil?

– C'est une erreur.

Gerfaut raccrocha, demeura un instant immobile dans la cabine, pensant à la mort et à l'horrible dégât que font les balles. Quelqu'un cogna contre la porte de verre de manière désagréable, avec un trousseau de clés, un gros homme. Gerfaut abandonna la cabine.

– Gros con, dit-il en passant.

– Quoi? Quoi? Quoi!

Gerfaut quittait déjà le bureau de poste. Il marcha jusqu'à la place de l'Opéra, étudia le plan de métro, puis prit une rame, changea à Invalides

et retrouva l'air libre à Pernety. Il était à peine
16 heures, les choses allaient vite. Gerfaut
s'orienta, marcha dans la rue Raymond-Losse-
rand encombrée de voitures, de camionnettes de
livraison, de travaux de voirie, d'éventaires et de
gens affables et bruyants. Il trouva le numéro
qu'il cherchait, monta dans l'immeuble où avait
vécu Mouzon. Pas de liste de locataires. Gerfaut
n'avait pas envie de s'adresser à la concierge. Au
quatrième étage, il y avait un bout de bristol
punaisé sous la sonnette : MOUZON − GASSO-
WITZ. Gerfaut sonna. On ouvrit.

— Oui?

L'homme était en pantalon de toile beige et
chemise écossaise genre bûcheron canadien, les
cheveux huileux, la lèvre lourde et le menton bleu.
Pas follement polonais, comme allure, plutôt pied-
noir, une carrure à la Robert Mitchum et l'estomac aussi, dilaté.

— Je cherche Mme Mouzon.

— Oui?

— C'est tout, dit Gerfaut.

L'homme pesa le pour et le contre, parut
renoncer à jeter Gerfaut à l'étage inférieur et
tordit le cou sans quitter le visiteur des yeux, et
gueula par-dessus son épaule.

— Eliane!

— Quoi?

— C'est pour toi.

On entendit remuer. L'homme ramena sa
mâchoire vers Gerfaut et soupira doucement, pro-
jetant des effluves de Ricard dans les quatre

156

mètres cubes d'air du palier. Eliane Mouzon apparut dans l'entrée du logement et Gerfaut se tortilla un peu pour l'apercevoir, car le type bouchait la porte.

– Qu'est-ce que c'est?

Elle paraissait fatiguée, pauvre et ordinaire, pas du tout pittoresque, dans les quarante-cinq ans, taille moyenne, assez jolie avec une vilaine peau, des cheveux modérément teints, un tailleur chiné noir et blanc nettement merdeux, chemisier isabelle en acétate, collier torsadé en toc doré, gourmette itou. Elle était très soigneusement, presque joliment maquillée. Elle était esclave du bon goût mais elle ne se laissait pas aller et Gerfaut éprouva de la sympathie pour elle.

– Je désirerais, dit-il, vous parler en particulier. Au sujet de M. Mouzon.

La peau de la femme blanchit autour de sa bouche d'une manière saisissante. Elle posa une paume contre le mur de l'entrée et ses cils tremblèrent. Le type à la forte carrure lui jeta un coup d'œil et se retourna vers Gerfaut, la tête un peu basse. Il avait l'air d'un taureau prêt à foncer et ses lèvres aussi se cernaient de blanc.

– Ecoute mon petit vieux, souffla-t-il, je me retiens parce qu'elle veut pas, mais je sais pas combien de temps je peux me retenir, alors tu te casses, tu entends?

– Arrête, ce n'est pas lui, dit la veuve Mouzon dans son dos.

– Oh, dit le type, oh (et il avait l'air d'un

157

myope en colère qui essaie d'accommoder et de se calmer en même temps), oh...

— Réflexion faite, dit Gerfaut au type, c'est à vous que je veux parler. C'est vous, Gassowitz, j'imagine. Je veux vous parler. Il faut me recevoir ou bien je vais m'expliquer avec la police, et ça ne serait pas bon, n'est-ce pas?

Gassowitz ne répondit pas. Il réfléchissait et semblait gêné par le bruit mais il n'y avait aucun bruit, il régnait sur le palier un silence de mort.

— Je ne sais pas qui vous êtes et je ne veux pas le savoir, dit la veuve Mouzon. Laissez-moi tranquille. Laissez-le.

De façon inattendue elle se mit à pleurer. Son rimmel de basse qualité lui rentra dans les yeux. Elle les essuya avec ses petits poings en grommelant ah nom de dieu d'une voix blanche et lasse.

— On ne peut pas rester comme ça sur le palier, affirma Gerfaut.

Gassowitz recula dans l'entrée, prit la femme dans ses bras et lui appuya la tête contre son épaule. Il lui caressait les cheveux. En même temps il regardait Gerfaut d'un air fourbe et furieux. Gerfaut s'avança lentement à l'intérieur du logement. Du pied, Gassowitz poussa la porte et la claqua derrière Gerfaut.

— Mon petit chou, mon cœur, murmura-t-il, va dans la chambre.

La veuve Mouzon s'en alla dans la chambre. Gassowitz fit entrer Gerfaut dans une cuisine équipée d'une table en formica. Il ne cessait de fusiller son visiteur de son regard bleu foncé.

158

Gerfaut s'assit sans y être invité. Il se rendit compte qu'il transpirait abondamment et c'était seulement à cause de la passion qui régnait dans la petite pièce, à tous égards.

– Bordel, dit-il, je n'avais absolument pas... Ce n'était pas prévu. Ecoutez, elle vous en a parlé. Je veux dire, qui est-ce qui est venu la première fois? je veux dire l'autre fois, un jeune homme brun, non? un jeune homme aux cheveux noirs ondulés avec des yeux bleus, non? et un grand type avec des dents de cheval, un type plus vieux?

– Le jeune homme, dit Gassowitz. Ils sont venus tous les deux ensemble. Mais surtout le jeune homme.

– Je l'ai tué hier, dit soudain Gerfaut. Je lui ai fracassé son putain de crâne, je lui ai cassé la tête.

Et Gerfaut stupéfait fondit en larmes. Il replia ses bras sur la table en formica, posa son front sur ses avant-bras et sanglota nerveusement. Ses larmes s'arrêtèrent tout de suite mais il demeura plusieurs minutes à frémir et à aspirer et expirer l'air avec un bruit d'instrument de musique brésilien.

Sans tendresse, Gassowitz lui tapota l'épaule.

– Buvez un coup.

Gerfaut se redressa, empoigna le verre à moutarde qu'on lui tendait et vida les six centilitres de Ricard pur. Ça lui brûla la glotte et il sentit l'alcool descendre très lentement, comme un petit œuf rauque et chaud, dans son œsophage contracté. Gassowitz s'assit doucement sur une chaise de cuisine, la jambe gauche étendue, la droite pliée. Gerfaut jeta un regard aux chaussures de l'homme, des trucs tressés de basse qualité, et il eut la conviction que si, dans cet instant, il se ruait vers la porte de sortie, Gassowitz lui collerait son pied droit en pleine gueule, et sans même se lever de sa chaise.

– Ils ont tué Mouzon, bien entendu, dit Gerfaut. Et puis ils sont venus s'assurer que sa veuve ne savait rien. Si elle avait su quelque chose, ils l'auraient descendue aussi. Ils s'en sont assurés à fond. (Il jeta un regard à Gassowitz aux lèvres blanches.) Vous êtes quoi? Vous êtes son amant bien sûr. Vous l'avez connue après coup. Ecoutez, je ne veux pas savoir ce qu'ils lui ont fait.

– Non, fit Gassowitz sur le ton de la conversation courante.

– Ecoutez, répéta Gerfaut, je suis le type qui a ramassé Mouzon sur le bord de la route. J'ai cru à un accident. C'est moi qui l'ai déposé à l'hôpital. Et ensuite ils m'ont retrouvé. Ils ont eu du mal mais ils m'ont retrouvé plusieurs fois, et ils m'ont fait pire que... Oh, je ne sais pas s'ils m'ont fait pire. Je peux essayer de vous donner des détails si vous voulez. Il faut que je comprenne s'il y a quelqu'un derrière eux. Ils m'ont vu porter secours à Mouzon. Ils ont relevé le numéro de ma voiture. Je suppose qu'ils ont pensé que j'avais recueilli ses dernières paroles. C'est grotesque, c'est si conventionnel. Ecoutez...

– Je veux des détails, dit Gassowitz.

– Essayons, dit Gerfaut et il raconta tout au type à la forte carrure.

Cela prit plus d'une demi-heure parce que Gassowitz posait des questions, auxquelles Gerfaut ne pouvait pas toujours répondre. Gassowitz voulut savoir pourquoi Gerfaut n'était pas allé à la police et Gerfaut lui répondit que c'était parce que c'est emmerdant.

– Mais tout de même, dit Gassowitz, se casser comme ça droit devant soi, tout de même!

– Oui, oui. Je sais bien. Je ne peux pas expliquer, je ne comprends pas bien moi-même.

– Ou alors vous en aviez marre.

– Mais est-ce que ça peut être si simple?

– Oui, dit Gassowitz.

Et l'homme voulut savoir aussi comment il se faisait que les deux tueurs fussent tombés sur Gerfaut à la station d'essence, la fois où le type aux dents de cheval avait brûlé, mais Gerfaut n'avait pas d'explication pour cela.

Et Eliane Mouzon vint voir ce qui se passait, avec son joli visage complètement défait et ravagé, et Gassowitz la renvoya en disant qu'il lui expliquerait plus tard, mais avec beaucoup de tendresse.

– Voilà, c'est à peu près tout, dit enfin Gerfaut. Vous êtes satisfait?

– Si l'on peut dire, grogna Gassowitz.

Gerfaut but un peu de Ricard étendu d'eau.

– Je ne sais pas pourquoi je vous ai raconté tout ça. Ce qui m'intéresse, c'est de trouver la personne qui est derrière ces deux salauds, et vous

161

ne savez rien, votre... Mme Mouzon ne sait rien ou bien ils ne l'auraient pas laissée s'en tirer comme ça, et...

— Ça m'intéresse aussi, coupa Gassowitz.

— Oui, mais vous ne savez rien, vous ne savez pas pourquoi...

— Hodeng, coupa encore Gassowitz.

— Hein?

— Philippe Hodeng, Mouzon et lui travaillaient ensemble comme conseillers juridiques, vous savez, ils s'occupaient de faire payer des dettes de pauvres mecs en les effrayant, vous voyez? Avec du papier à en-tête et des trucs, d'aspect juridique, vous voyez?

— Recouvrement de créances.

— Un truc comme ça. Plutôt dégueulasse. Mais ils tombaient sur toutes sortes de trucs. Ils trouvaient des renseignements sur les gens et ils offraient leurs services, vous voyez? Mouzon était un ancien policier, vous saviez ça, non?

— Non.

— Si. Enfin, c'est un fait. Ils l'ont radié ou je ne sais pas comment ça s'appelle, et il a été condamné pour une histoire de vol, pendant qu'il était flic, je veux dire. Mais c'était amnistié, c'est pourquoi il a pu monter son cabinet. Et Hodeng, eh bien, je ne sais pas au juste mais je crois que c'était une sorte d'indicateur de Mouzon, avant qu'il ne soit plus flic, Mouzon, avant qu'ils se mettent ensemble tous les deux. Vous voyez?

— Oui.

— Et Hodeng, un peu après que Mouzon est

162

mort, ou bien le lendemain, il a eu un accident grave.

— Mort?

— Non.

— On peut le trouver?

— Monsieur Gerfaut, dit Gassowitz, je vais vous y conduire. Je veux aller avec vous. Vous allez me laisser un moment pour que je dise quelque chose à Eliane, pas qu'elle s'inquiète, mais je veux aller avec vous. Je peux, parce que je ne travaille pas, ces temps derniers. Et je dois, vous comprenez, il faut que j'aille avec vous.

— Bon, dit Gerfaut. Bon. Oui.

22

Ils trouvèrent Philippe Hodeng là où il était à présent, dans une maison de retraite crasseuse à Chelles, et dans l'état où il était à présent, c'est-à-dire impotent et presque muet. Il occupait une chambre miteuse et sombre au premier étage d'un des quatre ou cinq pavillons qui composent l'établissement. Dans la cour les marronniers étaient pleins de jeunes feuilles vert cru au-dessus du gravier mêlé de crottes de chien. Philippe Hodeng avait cinquante-deux ans et en paraissait soixante-dix ou cent ou davantage. Il était dans un fauteuil roulant. Une couverture écossaise couvrait ses jambes paralysées. Quand il était tombé de la fenêtre du cabinet Mouzon & Hodeng, il s'était brisé la colonne vertébrale. Avant ou après être tombé, il avait aussi reçu des chocs très brutaux à la gorge. Son pharynx avait été écrasé. L'homme avait subi une trachéotomie et diverses opérations. Il demeurait invalide et ses cordes vocales étaient détruites. Des moyens existaient de lui rééduquer scientifiquement la voix, mais Hodeng n'était pas en mesure de se les payer. Toutefois, en s'aidant des instructions contenues dans un livre américain, il commençait de pouvoir à nouveau produire des sons organisés, grâce à de complexes contractions du diaphragme et de la trachée. Le résultat, rauque, flûté et pneumatique, rappelait à la fois François Mauriac et Roland Kirk.

Hodeng était vêtu d'un complet mince et luisant, d'une chemise de nylon pisseux à large col ouvert, et il portait un béret basque. Autour de sa bouche édentée se voyaient de multiples crevasses et rides blanches. Ses lunettes étaient vertes et ses cheveux blanc jaunâtre. Son aspect général était tout à fait désespérant.

Pour parvenir jusqu'à lui Gerfaut et Gassowitz n'eurent pas de difficultés. Ils se renseignèrent au bureau de l'institution et une grosse fille mal peignée, avec des joues molles et des auréoles sous les bras, les orienta sans retard et sans curiosité. Au fait, dans les diverses chambres de l'établissement les vieillards étaient livrés à eux-mêmes; on se contentait de nettoyer un peu leur chambre et de changer la literie deux fois par mois, de nourrir dans un réfectoire ceux qui pouvaient se déplacer et de porter la bouffe aux autres, et de tancer ceux qui faisaient sous eux.

Les difficultés se présentèrent après que Gerfaut et Gassowitz furent entrés dans le logement d'Hodeng, car l'infirme sortit de sous sa couverture et pointa sur eux un petit pistolet automatique 7,65 sur la poignée duquel était inscrit en grosses lettres le mot VENUS.

– Holà, fit Gassowitz, pas d'affolement, on est la sécurité sociale.

En même temps l'homme à la forte carrure saisit le porte-parapluie vide, son bras balaya l'air, le porte-parapluie percuta le petit automatique et l'arracha aux doigts d'Hodeng et l'envoya voltiger sur le tapis sale. Puis Gassowitz fit un pas en avant et poussa du pied l'arme sous le lit. Hodeng fit manœuvrer son fauteuil roulant et recula en poussant des grincements et des sifflements et des ahanements, et précipitamment, pour se coller le dos au mur. Ensuite Gerfaut et Gassowitz exposèrent leur petite affaire, du moins ce qu'Hodeng avait besoin d'en connaître; et Hodeng les renseigna, leur dit ce qu'ils voulaient savoir.

Cela se passa assez vite et assez simplement.

– Non. Peur, énonça pneumatiquement le vieillard à un certain moment de la conversation (et cela résonnait plutôt comme : Noh... Pbeuh..., mais à ce moment Gerfaut et Gassowitz en étaient arrivés à comprendre assez aisément les sons produits).

– Ils ne peuvent rien vous faire de plus, dit Gerfaut.

– Chien... Ah... La vie.

– Il dit qu'il tient à la vie, observa Gassowitz.

– Ecoutez, Hodeng, dit Gerfaut à Hodeng, je peux comprendre ça. C'est pourquoi je vous ai dit une partie de ce qu'ils m'ont fait. C'est pourquoi vous allez me croire si je vous dis que maintenant vous me parlez ou bien je vous tue. Vous me dites qui se trouve derrière ces deux salopards, ou bien je vous tue. Je vous tue tout de suite. Vous comprenez? Vous ne me croyez pas, peut-être?

Hodeng hocha vigoureusement la tête après avoir réfléchi un instant et il réclama du papier et un crayon. Il rédigea un texte qui couvrait quatre pages d'agenda d'une écriture minuscule. De temps en temps Gerfaut ou Gassowitz interrompaient l'infirme pour demander une précision. Enfin ce fut fini et les choses furent claires. Gerfaut empocha les quatre pages d'agenda.

— On tâchera que ça ne vous revienne pas dans la gueule, dit-il à Hodeng.

— Ssss-con, heu? fit Hodeng avec effort. T'nir à la vie... (Il montra ses jambes mortes et puis sa gorge morte, et la pièce merdeuse et le paysage merdeux dehors, enfin il fit un geste vague et un sourire d'auto-dérision). Tuez, graillonna-t-il, ç'salaud, heuh...

Dans la 203 pourrie de Gassowitz, Gerfaut et le chômeur revinrent vers Paris qu'ils contournèrent par le boulevard périphérique. Ils mirent longtemps car c'était l'heure de pointe, le boulevard périphérique était embouteillé. Ils ne parlaient pas, ils ne réfléchissaient guère. Ils enfilèrent l'autoroute de l'ouest vers 18 h 45. Passé l'embranchement de Chartres ils purent rouler vite. Gerfaut ouvrit le sac de toile posé à ses pieds sur le plancher de la 203. Il en retira le Beretta et son réducteur de son. Il manipula l'arme un moment pour en bien comprendre le mécanisme. La 203 quitta l'autoroute à Meulan. Gassowitz s'arrêta devant un droguiste encore ouvert, quitta la voiture et entra dans la boutique. Il revint avec deux paires de gants de ménage en matière plastique comme en mettent les femmes au foyer pour faire les vaisselles. Il en donna une paire à Gerfaut. Chaque homme fourra sa paire de gants dans une poche de sa veste. La 203 repartit et se dirigea vers Magny-en-Vexin.

– Vous, dit Gerfaut, peut-être que vous l'aimez, Eliane Mouzon. Mais moi, la femme qui a été tuée là-haut, dans la montagne, je ne l'aimais pas, vous savez. Elle était vraiment très belle, mais... (Il s'interrompit et demeura silencieux pendant presque une minute entière.) Je ne devrais peut-être pas être aussi en colère que je le suis, dit-il enfin.

– Voulez-vous que nous nous arrêtions pour dîner et réfléchir? demanda Gassowitz.

– Non.

– Voulez-vous que je vous dépose à une gare, et vous me laissez votre arme?

– Non, certainement pas, dit Gerfaut.

Ils traversèrent Magny-en-Vexin et prirent la direction du hameau Vilneuil. Dix kilomètres avant Vilneuil, Gassowitz rangea la 203 sur l'accotement. Assis dans la voiture, sans parler, ils attendirent la nuit.

23

Après avoir dîné de conserves et de fruits dans la cuisine, Alonso mit la vaisselle sale dans la machine à laver la vaisselle où elle rejoignit la vaisselle du petit déjeuner. La chaîne Sharp diffusait du Chopin. La chienne Elizabeth trotta sur les pas de son maître quand celui-ci fit le tour de la maison en vérifiant que les fenêtres étaient bien fermées. Devant chaque fenêtre, il s'arrêtait et regardait au travers avec ses jumelles. Il avait aussi son Colt Officer's Target à la ceinture, dans un étui à rabat. Alonso était vêtu d'un short kaki et d'une chemise kaki usagés. Dans l'échancrure de sa chemise se voyaient des poils blancs qu'il avait sur la poitrine. Il fit soigneusement le tour de la maison, passa en revue toutes les ouvertures. Il était très prudent. L'an passé, deux espèces de détectives privés avaient abouti à lui tout à fait fortuitement, alors qu'ils se renseignaient sur l'éventuelle présence d'un grand escroc américain au voisinage de Magny-en-Vexin. Et ils avaient laborieusement réuni sur Alonso une somme de renseignements assez considérable. Et ils avaient voulu faire chanter Alonso. Celui-ci leur avait envoyé ses tueurs, d'une manière pour ainsi dire routinière. (Il avait déjà utilisé les talents de Carlo et Bastien pour préserver son incognito. Il leur avait fait tuer quatre personnes par qui on aurait pu remonter jusqu'à lui.) Et Bastien et Carlo avaient réglé la question, sauf le cas Gerfaut qui demeurait pour Alonso un mystère irritant et inquiétant. Alonso avait insisté pour qu'on traitât aussi l'imbécile qui avait déposé Mouzon à l'hôpital. Et plus tard il avait appris par la radio que Gerfaut et Carlo étaient disparus, et Bastien mort, ou bien Carlo mort et Gerfaut et Bastien disparus. Il ne savait pas lequel de ses tueurs avait péri dans l'incendie. Après onze mois, Alonso espérait que tous étaient morts, les deux tueurs et aussi l'imbécile. En tout cas il n'en avait plus jamais entendu parler.

Alonso s'assit à sa table de travail dans son bureau. La chienne bullmastiff Elizabeth se coucha sur le tapis près de lui. Avec son stylo Parker, Alonso travailla pendant une heure à ses Mémoires. « *Il faut mettre fin à la violence,* écrivit-il. *La meilleure manière de mettre fin à la violence, c'est de punir les individus qui s'y livrent, quelle que soit leur catégorie sociale. Ces individus sont normalement très peu nombreux. C'est pourquoi, dans son principe, la démocratie représentative m'a toujours paru être la meilleure forme d'administration nationale. Malheureusement, les pays libres sont empêchés de vivre selon les principes, car la subversion communiste s'introduit dans leur organisme et y provoque de façon récurrente et endémique des accès de pourriture.* » Il se leva et fit de nouveau le tour de la maison en bouclant partout les volets. La nuit tombait. Il était 20 h 15. La chaîne Sharp diffusait du Grieg dans toute la maison, puis elle changea de disque et diffusa du Liszt. Alonso monta à l'étage avec un gros volume de Clausewitz. Il se fit couler un bain brûlant, se dévêtit et entra dans l'eau en grimaçant. Il avait posé son Colt sur le couvercle des cabinets à côté de la baignoire. Il s'installa dans l'eau en poussant de petits soupirs de gêne ou d'aise. A 20 h 22, le très puissant avertisseur Lynx-alarm installé dans le grenier de la demeure se mit en marche car Gerfaut et Gassowitz venaient de forcer la grille d'entrée de la propriété.

Alonso, saisi, laissa tomber *De la Guerre* entre ses cuisses dans l'eau chaude. Il bondit hors de la baignoire dans une gerbe d'eau, empoigna son revolver. Ses doigts glissèrent et il fit tomber l'arme par terre. Il se jeta à genoux pour la ramasser. Dans le jardin à l'abandon devant la demeure, Gerfaut et Gassowitz furent un instant interloqués par le bruit de l'avertisseur, qui devait s'entendre à un kilomètre à la ronde. La maison d'Alonso était à peu près à deux cents mètres des autres maisons du hameau. Gerfaut poussa un grognement et se précipita en avant. Il avait le Beretta dans la main gauche, et dans la droite un des démonte-pneu avec lesquels les deux hommes venaient de forcer la grille d'entrée. Gassowitz hésita puis se précipita à la suite de Gerfaut. Il tenait l'autre démonte-pneu et un boîtier Wonder éteint. Il ne faisait pas encore nuit noire, on pouvait voir devant soi. Gerfaut atteignit la façade de la maison et s'attaqua à un volet avec son démonte-pneu.

Dans la salle de bains au premier étage, Alonso se redressa, son Colt à la main. Ses yeux étaient exorbités et il respirait avec difficulté. L'eau du bain ruisselait sur son corps blême et grassouillet. Il fit plusieurs mouvements saccadés et inachevés, comme s'il essayait de se précipiter vers la porte ou dans telle ou telle autre direction. Il repêcha le livre au fond de la baignoire, machinalement, avec une moue chagrine, secoua le volume trempé pour l'égoutter, puis pivota à la recherche d'un endroit où le poser. A travers le vacarme furieux, continu et taraudant de l'avertisseur, il perçut les aboiements furieux de la chienne Elizabeth, au rez-de-chaussée, et un fracas de bois et de verre brisé.

Gerfaut avait forcé le volet du bureau et il se hissa sur l'appui de la fenêtre sans aucune espèce de précaution et défonça les vitres à coups de talon. L'électricité était allumée dans la pièce. Gerfaut passa à travers la croisée et atterrit accroupi sur la table de travail. En aboyant, la femelle bullmastiff lui sauta à la gorge. Gerfaut lui tira un coup de Beretta dans la gueule. La chienne fut catapultée de côté et heurta un mur où elle laissa une grande éclaboussure de sang. Elle boula sur le sol, se rétablit et repartit à l'attaque en grondant affreusement. Une partie de sa mâchoire inférieure manquait et ce qui restait était tout fracassé et de travers, mais Elizabeth sauta sur la table de travail et essaya de mordre Gerfaut. Pendant ce temps Gassowitz s'était hissé sur l'appui de la fenêtre. Gerfaut tira trois balles dans le corps de la chienne puis, d'un coup de pied, il projeta l'animal par terre au pied d'un mur où Elizabeth toujours vivante se tortilla et essaya de se redresser. Gerfaut se mit à vomir. Il sauta à bas de la table de travail en vomissant et en éparpillant les feuilles de papier pelure sur quoi Alonso rédigeait ses Mémoires. Il courut vers la chienne, lui appuya le canon du Beretta sur le crâne et pressa la détente avec frénésie. Après un instant, il n'eut plus de munitions. La chienne était morte. Secoué de haut-le-cœur, Gerfaut arracha le magasin de l'automatique, prit un magasin de rechange dans la poche de sa veste et le mit en place. Il arma le Beretta.

— Oh la la, était en train de dire Gassowitz en contemplant le carnage.

Alonso fit irruption dans le bureau, un homme nu et dodu couvert de gouttelettes avec un revolver dans une main et un gros livre détrempé dans l'autre. Il leva son revolver mais Gerfaut fut plus rapide et lui logea une balle dans le ventre. L'homme nu tomba assis par terre contre le chambranle de la porte de communication, lâcha son revolver et son livre et porta ses mains au point d'impact sur son ventre, en grimaçant.

— Je suis Georges Gerfaut, dit Georges Ger-

faut. Et vous êtes bien Alonso Eduardo Rhada-
mès Philip Emerich y Emerich, n'est-ce pas?

— Non, c'est pas moi, c'est pas moi, aïe, aïe, j'ai
mal, dit Alonso.

— Mais si, c'est lui, dit Gassowitz.

— Que dis-tu? demanda Gerfaut à Gassowitz
car il avait mal entendu à cause de l'avertisseur
toujours hurlant, sans parler de Liszt.

— Oui! hurla Alonso. Oui! C'est moi! Je vous
crèverai! Je vous retrouverai! Je vous chie dessus!

L'effort de crier l'épuisa. Il appuya sa tête
contre le chambranle et se mit à geindre doucement. Gerfaut leva le Beretta. Gassowitz lui prit le
bras.

— Laisse-le souffrir, conseilla-t-il.

Gerfaut baissa le bras. Du sang coulait sur le
ventre de l'homme nu.

— Non, c'est insupportable, dit Gerfaut et il
leva de nouveau le Beretta et fit deux pas en avant
et tua net Alonso d'une balle dans la tête.

Gassowitz et Gerfaut se regardèrent. Soudain
ils se rappelèrent l'avertisseur qui hurlait toujours
et ils se rappelèrent qu'il ne fallait pas moisir ici.
L'un après l'autre ils montèrent sur la table de
travail, passèrent de là sur l'appui de la fenêtre et
sautèrent à terre dans le jardin à l'abandon. Ils
coururent, butant dans les touffes d'herbe et les
buissons, jusqu'à la grille d'entrée. Sur la route
devant la grille d'entrée, il y avait trois hommes
avec deux lampes électriques, des paysans du

hameau en vêtements de travail et béret ou casquette.

– Qu'est-ce qui se passe? demandèrent-ils à Gerfaut et Gassowitz qui sortaient de la propriété.

Gerfaut et Gassowitz les bousculèrent et s'enfuirent en courant sur la route.

– Arrêtez! Au voleur! Au voleur! crièrent les paysans.

Gerfaut et Gassowitz atteignirent le chemin de terre dans l'entrée duquel ils avaient garé la vieille 203. Ils montèrent dans la voiture, haletant, le cœur battant. Les paysans ne les poursuivaient pas, les paysans se concertaient sur la route et convinrent qu'il fallait aller voir ce qui se passait chez M. Taylor et ensuite on préviendrait éventuellement les gendarmes. La 203 sortit en marche arrière du chemin de terre, à cent mètres des paysans, puis elle vira et s'éloigna d'eux et disparut dans une courbe.

– C'était dégueulasse, dit Gerfaut.

– Non, dit Gassowitz. Moi, ça m'a soulagé. Eliane est vengée, vous comprenez?

– Oui, vous croyez, fit Gerfaut d'un ton affirmatif.

Plus tard comme ils roulaient vers Paris sur l'autoroute, Gerfaut demanda à Gassowitz de le déposer du côté de la place d'Italie quand ils seraient arrivés à Paris. Gassowitz le déposa là-bas un peu après 10 h 15 du soir. Les deux hommes se serrèrent la main. La 203 s'en alla. Gerfaut était à deux pas de chez lui, c'est-à-dire de son domicile fixe. Il y alla à pied, prit l'ascenseur jusqu'à son étage et sonna à sa porte. Béa lui ouvrit et ouvrit grands la bouche et les yeux en le contemplant et elle porta sa paume à sa bouche avec stupeur.

— Je suis revenu, dit Gerfaut.

24

Après que Béa, d'une voix blanche, lui eut dit d'entrer, Gerfaut gagna le salon qui n'avait pas changé. Il avait une expression concentrée et distraite. Machinalement il mit en marche la chaîne quadriphonique et il plaça sur le plateau du tourne-disque un duo de Lee Konitz et Warne Marsh. Il alla s'asseoir sur le canapé. Béa était à l'entrée du salon et le regardait. Elle se détourna brusquement et alla dans la cuisine où elle s'adossa un instant au mur. Sa mâchoire remuait comme si elle parlait mais elle ne parlait pas. Ensuite elle apporta à Gerfaut un Cutty Sark plein de glace et noyé d'eau Perrier et elle apporta pour elle-même un Cutty Sark sec. Gerfaut dit merci. Il feuilletait les papiers qu'il y avait sur la table à café. Il y avait une lettre vieille de six mois de son partenaire d'échecs, le professeur de mathématiques retraité de Bordeaux. Celui-ci expliquait à Gerfaut, en termes mesurés derrière lesquels on sentait une vraie irritation, qu'il était obligé de considérer que Gerfaut avait perdu leur partie par défaut, faute d'avoir répondu en temps utile au septième coup des Noirs (7... Dç7). Gerfaut leva la tête.

— Que dis-tu?

— Je dis, d'où sors-tu? dit Béa d'une voix très basse.

— Je ne sais pas.

— Tu sens le vomi. Il y a du vomi sur ton pantalon. Tu es tout sale. (Elle eut un sanglot et se précipita sur le canapé contre Gerfaut, elle le serra dans ses bras et se serra contre lui très fort.) Oh, mon chéri, mon chéri, dit-elle, oh chéri, mon chéri, d'où sors-tu?

— Mais c'est la vérité, dit Gerfaut. Je ne sais pas.

Telle a été sa position depuis lors. Il affirme qu'il ne sait pas. Ce n'est pas lui qui le premier a prononcé à son sujet le mot d'amnésie, mais à présent il parle couramment de son amnésie quand le sujet vient sur le tapis. A l'en croire, il n'a aucun souvenir de ce qu'il a vécu entre le moment, la soirée de juillet, où il est sorti de sa maison de vacances à Saint-Georges-de-Didonne pour acheter des cigarettes, et le moment, la soirée de mai, où il s'est trouvé errant au voisinage de son domicile fixe avec du vomi sur son pantalon. Ce qui donne une certaine crédibilité à son histoire, c'est la cicatrice qu'il a à la tête, qui a pu être produite par une balle ou un instrument contondant et qui a dû causer un grand choc à son cerveau.

Il a été interrogé à plusieurs reprises par la

police et un juge d'instruction. En effet, on avait ouvert une instruction judiciaire après la mort de Bastien et surtout du jeune gérant du poste d'essence. Gerfaut a convenu qu'il est possible qu'il ait loué la Taunus, possible aussi que son amnésie ait été causée par un choc reçu au poste d'essence, durant la tuerie. Auquel cas il s'agirait d'une amnésie rétroactive. La chose n'est pas médicalement inouïe, au contraire. De même à propos du témoignage de Liétard, Gerfaut comptait dire qu'il ne se souvient pas de lui avoir rendu visite, ni de la teneur de la conversation qu'ils ont eue, cette abracadabrante histoire de tueurs. Cela n'a pas été nécessaire, car Liétard, qui ne lit pas les journaux, n'écoute guère la radio et ne s'intéresse qu'au cinéma – Liétard n'a fait aucun témoignage, il n'a pas su que Gerfaut avait disparu mystérieusement de juillet à mai, il l'ignore encore aujourd'hui.

L'infirme Philippe Hodeng est mort en août. Les paysans qui ont vu fuir les assassins d'Alonso Emerich y Emerich n'ont pu donner d'eux qu'une description très vague et inutilisable. De sorte qu'on n'a pas pu faire le rapprochement entre l'assassinat d'Alonso et Georges Gerfaut, et d'ailleurs on n'y a pas songé, non plus qu'à rapprocher Gerfaut du meurtre d'Alphonsine Raguse-Peyronnet et d'un inconnu porteur d'un faux permis de conduire au nom d'Edmond Bron, au début de mai, dans la Vanoise, double meurtre au sujet duquel on recherche un certain Georges Sorel. Le seul homme qui pourrait en dire long sur Gerfaut et ce qu'il a fait de juillet à mai, c'est Gassowitz, mais il a toutes les raisons du monde de ne pas se manifester.

La position de Gerfaut est donc inattaquable et il le sait. Comme il était militant de gauche dans sa première jeunesse, il a lu jadis plusieurs manuels et récits vécus bien utiles à qui veut tenir tête à des policiers et juges inquisiteurs. Et il leur a tenu tête, il n'a jamais démordu de son attitude d'ignorance complète, candide, serviable et navrée. Et l'on s'est découragé de lui faire des questions, et les auditions sont devenues plus rares, puis elles ont cessé.

Quant à sa vie professionnelle, Gerfaut, malgré la crise, a pu retrouver un emploi de cadre dans l'entreprise même où il était employé précédemment. Ses responsabilités et son salaire sont moindres, mais comme il donne toute satisfaction, il est certain qu'après une période de probation, il retrouvera une situation et un salaire égaux à ceux qu'il avait avant sa disparition.

Béa, durant les dix mois d'absence de Gerfaut, lui a été fidèle. Ensuite elle l'a beaucoup chouchouté. Puis elle a repris son attitude habituelle, saine et dégagée. Entre son mari et elle, sexuellement, ça gaze, sauf lorsque Gerfaut a bu plus que de raison, auquel cas il met un temps fou à atteindre l'orgasme. C'est du bourbon et non du scotch que Gerfaut boit maintenant le plus volontiers. C'est le seul point sur lequel ses goûts ont changé, mais ils ont changé en septembre, il ne semble pas que ce soit une conséquence de sa disparition. En août, les Gerfaut sont allés en vacances à Saint-Georges-de-Didonne, dans une maison louée qui s'est trouvée presque par hasard belle et confortable, de sorte que Gerfaut a été enchanté de son séjour. Pendant quelque temps Béa a pressé Gerfaut de suivre une psychanalyse afin de découvrir ce que son esprit occulte, mais il a obstinément refusé et Béa s'est découragée et n'en parle plus.

Donc, pour Gerfaut, tout va bien. Cependant, les soirs, il lui arrive de boire immodérément du bourbon 4 Roses et de prendre des barbituriques et, au lieu de l'endormir, ça le plonge dans un état d'excitation amère et de mélancolie. Ce soir par exemple, après qu'il a fait l'amour avec Béa d'une façon peu satisfaisante, il est resté éveillé tandis qu'elle s'endormait, il est resté au salon à écouter du Lennie Niehaus et du Brew Moore et du Hampton Hawes et à boire encore du 4 Roses. Dans son carnet il a noté qu'il aurait pu devenir un artiste ou plutôt un homme d'action, un aventurier, un soudard, un conquistador, un révolutionnaire et d'autres personnes. Puis il a remis ses chaussures et sa veste et il est descendu en ascenseur au parking en sous-sol. Il est monté dans sa Mercedes qui avait eu besoin d'une sérieuse révision après avoir passé dix mois dans un garage de Saint-Georges-de-Didonne. Elle marche très bien. Gerfaut a rejoint le boulevard périphérique extérieur à la porte d'Ivry. En ce moment il est 2 h 30 ou peut-être 3 h 15 du matin et Gerfaut tourne autour de Paris à 145 km/h en écoutant de la musique *West Coast*, principalement des blues, sur son lecteur de cassettes.

Il n'y a pas moyen de dire avec précision comment ça va tourner, les choses, pour Georges Gerfaut. Dans l'ensemble, on voit comment ça va tourner, mais avec précision, on ne voit pas. Dans l'ensemble, ils vont être détruits, les rapports de production dans lesquels il faut chercher la raison pour laquelle Georges file ainsi sur le périphérique avec des réflexes diminués en écoutant cette musique-là. Peut-être Georges manifestera-t-il alors autre chose que la patience et la servilité qu'il a toujours manifestées. Ce n'est pas probable. Une fois, dans un contexte douteux, il a vécu une aventure mouvementée et saignante; et ensuite tout ce qu'il a trouvé à faire, c'est rentrer au bercail. Et maintenant au bercail, il attend. Le fait qu'avec son bercail Georges tourne à 145 km/h autour de Paris indique seulement que Georges est de son temps, et aussi de son espace.

FIN

DU MÊME AUTEUR

SÉRIE NOIRE

Dernières parutions :

Reproduit et achevé d'imprimer sur Roto-Page
par l'Imprimerie Firmin-Didot à Mesnil-sur-l'Estrée
le 24 avril 1996
Dépôt légal avril 1996
Numéro d'imprimeur : 24589
ISBN 2-07-049553-1. Imprimé en France